JN090481

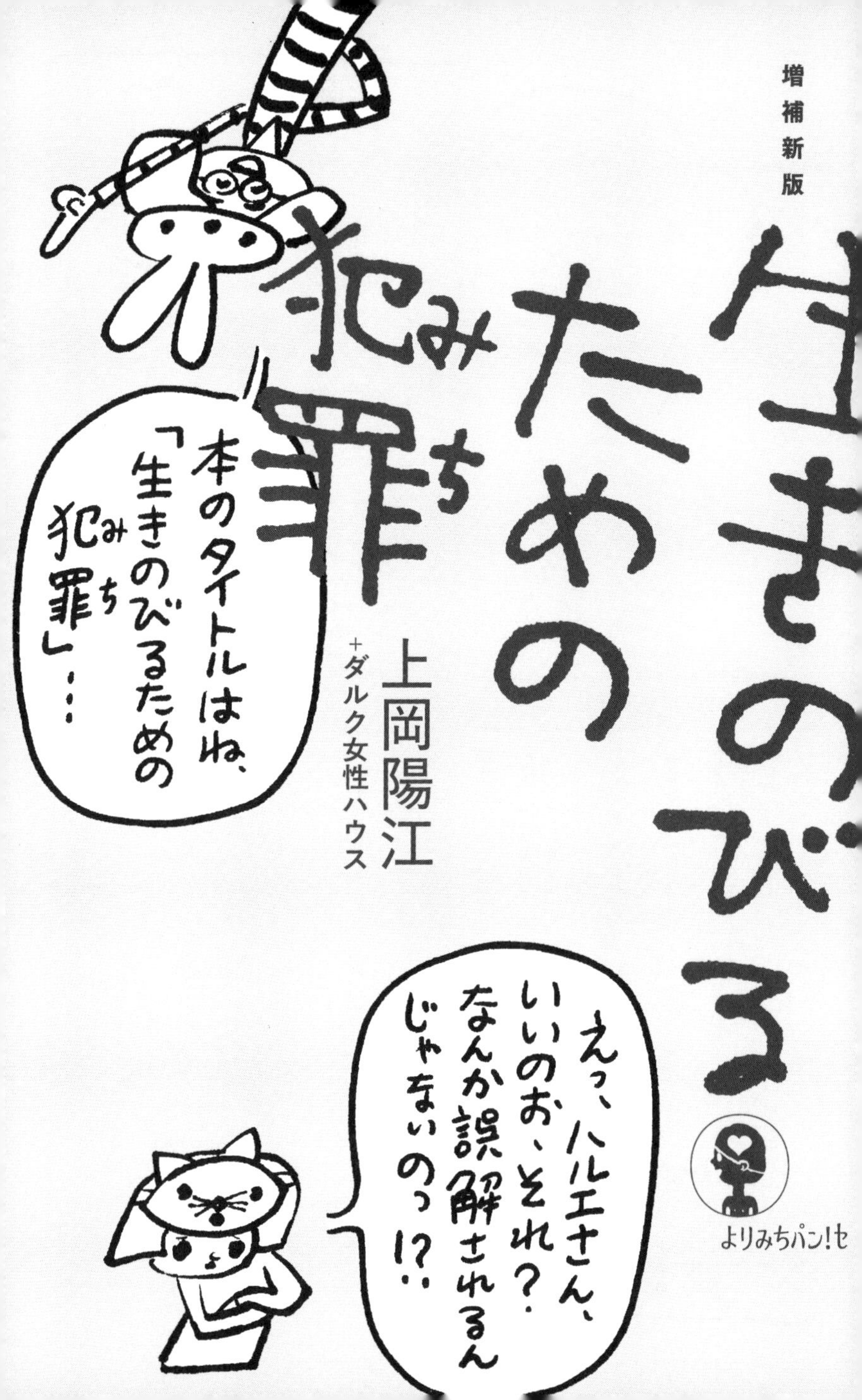
増補新版
生きのびるための犯罪(みち)
上岡陽江
+ダルク女性ハウス
本のタイトルはね、「生きのびるための犯罪(みち)」…
えっ、ハルエさん、いいのお、それ？ なんか誤解されるんじゃないのっ!?!
よりみちパン!セ

最初にちゃんと説明するからさぁ
みち
犯罪
それに「犯罪」に「みち」っていうふりがな振ってんじゃん
でもあたしって気が弱いから、そんなに強く言われるとさぁ…

まあいいけど
でもあたしたちってハルエさんがいつも言うようにあんぽんたんなんだから、こむずかしい本とかにしないでよね…

ぜんぶにふりがな振ってほしいよ
むずかしい漢字ばっかりだと途中で読むのメンドくさくなる人いるでしょ…あたしがそうだけど

わかったよお…
なんかふたりとも
ひとごとみたいじゃん
この本は、あたしたちに
ついてのことなんだけどね
…わかってほしいな
そこんとこ

#「生きのびるための犯罪（みち）」とは

上岡陽江

あたしの名前は上岡陽江（かみおかはるえ）といいます。

東京で、「ダルク女性ハウス」（この本の中では、略（りゃく）して「ハウス」といいますね）という、薬物（やくぶつ）やアルコールなどの〈依存症（いぞんしょう）〉の女性たちの回復（かいふく）と社会的な自立（じりつ）を支援（しえん）する施設（しせつ）を、一九九一年以降（いこう）、仲間とともにやっています。

なんで「女性」に限定しているの？　って疑問に思う人もいると思う。依存症の女性たちには、いろいろなかたちで男性の暴力（ぼうりょく）から逃（に）げてきた人が多いの。そのために、男性といっしょにいるだけで、緊張してこわばってしまう人がたくさんいるからなんだ。

　さて、ハウスのスタッフほとんど全員が、あたしをふくめて、依存症の当事者としての経験があります。さっきのマンガに出てきたのは、そんな仲間たちでもあるの。

　ところで、なぜ彼女たちはみんな、動物のお面をかぶってるのか。

　もちろんふだんは、お面なんてつけてないわけだけれど、おいおいこの本を読み進めていってもらううちに、なんとなく、なるほどな、ってわかってもらえるかもしれない。

　そもそもあたしたちは、なかなか「素顔」を出しずらい、ということがあるの。「犯罪」に関係するから、ということじゃなくて、自分の素顔をとうに見失っていたり、他人の前で、自分の素顔の出しかたがわからなくなっている人が多いからなんだ。もちろん、なにかの拍子に素顔をチラリと見せる人もいるし、半分くらいは素顔が出ている人もいる。ときに素顔全開になっている人もいなくはない。でも逆に、ずっとお面しか見えない人や、それしか見せない人もいる。

また、それぞれの性格やキャラクターと、それぞれがかぶっているお面とは、どこか近いところもあるかもしれないし、ぜんぜん関係ないかもしれません。マンガにあるように、動物が人間のお面をかぶっているような人もいるしね(笑)。まあ、あまり深く考えないで、楽しんでいただけると幸いです。

そして、仲間たちは、どんな人生を経てハウスにたどりついたのか、とか、みんなでどんなことをしているのかなど、この本では、いろんな工夫をしながら、少しずつ説明していきたいと思ってます。

なぜなら、あたしたちのことを、できればたくさんの人たちにわかってほしいと思っているから。

☽

じつは、あたしがこの本をいちばん読んでほしいと思っているのは、なんとか生きのびたい、生きのびようとしてやってしまったことが、気がついたら「犯罪」に結びついちゃった人たちなんだ。それから、そんな親を持つこどもたちも。

だれにも相談したりできないまま、毎日みじめなきもちばかりで、きっともう、ものすご〜く投げやりになってしまっているかもしれないし、なにかも、もう、わけがわからなくなってしまっているかもしれない。どこかでひとりでそんな思いを抱(かか)えている人のことを思うと、あたしは、とってもつらくなる。

あたしたちハウスの仲間の多くは、かつてやっぱり、そんなふうだった。そもそも「グループ」とか「集まり」とかが苦手(にがて)だった人も多いしね。だれかを信用したり信頼(しんらい)したりするのが苦手だった人が多いんだよ。あたしじしんもそうだった。いまだに人を信じるのにはとても時間がかかるし、得意なことじゃない。やさしくされたりすると、その裏になにかあるんじゃないか、って疑いはじめてしまう。やさしくされるよりも、ののしられたり、暴力を受けたりすることのほうが信じられるっていう仲間も多い。そういうことをする人のほうがまだ自分は信じられるんだ、って言う。それ以上悪いことにはならないから安心なんだって。やさしくされると、つぎにはきっとなにか悪いことが待ってるんじゃないかって、思ってしまうんだ。

☆

この本の題名は、「生きのびるための犯罪（みち）」。もちろん、「生きのびるためには、犯罪してもいいじゃん！」とか言ってるわけじゃないの。そうじゃなくて、とくに小さいころから、暴力――暴力ってひとくちに言っても、いろんな暴力があるよね。手が出るのもあるし、ことばの暴力もある。無視（むし）するっていう暴力もあるよね――を受けつづけてきた人が世の中にはいて、その人たちは自分の苦しさ、悲しさ、そしていろいろな痛みからのがれる方法として、薬物や多量の処方薬、そしてアルコールなどに手を出してしまうことがあるんだということ（この本では直接触れないけれど、リストカットや摂食障害などの自分を傷つけてしまう行為、あるいはギャンブルなどに依存することでのがれようとする人もいる）。

そしてそんなことをきっかけに、「犯罪」に結びつけられていってしまうことがあるんだって、あたしは思う。

暴力の被害を受けつづけてきた人が、自分を傷つけてしまうことや、「犯罪」という行為によって、自分を生きのびさせようとしているのはなぜなの？

あたしじしんも薬物とアルコールの依存症だったんだけど、いままで二十一年にわたって仲間たちといっしょにいて、あたしにはそのことが、長いことずっと不思議だった。

だれもが生きていくために、いろんなかたちで自分の身を守ろうとするでしょ？　友だちや家族、先生とか親戚とかに相談したり、メールで悩みやグチを聞いてもらったり、インターネットでヒントを得たり、本を読んだりTVを見たり音楽を聴いたり、ちょっとした買い物や趣味で憂さ晴らしをするとか。ゆっくりとお風呂に入るとか、フテ寝しちゃう、とかもあるよね。

苦しさや悲しさを癒す方法は、そんなふうにふつうはいくつかもっていると思う。でも、あたしがなんとなくわかってきたのは、薬物やアルコールのほかに方法を知らなかった、ほかの方法を選べなかったっていう人もいる、ってことなの。

☾

薬物やアルコールは、こころやからだの痛みを一瞬忘れさせてくれる、強力な助っ人。そして、痛みのもとが消えないかぎり、なんどでも使ってしまう。いけない、このままじゃまずい、やめなくちゃ、と、本人はわかってる。それとひきかえに、生活も健康も、すべてがめちゃくちゃになってしまうからね。でも、そうこうしているうちに、それらを手ばなすことができない「依存症」になってしまう。頭ではわかっていても、からだがもとめてしまうようになる。意志が弱いからやめられないんだろうって思っている人もたくさんいるし、専門家ですらそんなことを言う場合もある。でも、はっきり言ってそれは、ちがう。

　最初に言っておくけれど、薬物やアルコールなどへの依存はれっきとした病気なの。いいとか悪いとかの価値判断や、意志の力ではどうしようもない渇望感があって、それは想像を絶するものなんだよ。

　だからほんとうは、継続的なケアや治療が必要になるし、海外では、そのことが社会の中で、広くみとめられている。だからあたしは、「依存症は病気なんだから、病人としてちゃんとあつかって！」って言いたいし、そう言うこともあるけれど、どこかでひそかに、やっぱり自分が悪かったんじゃないかっていう思いにとらわれることが多いの。あたしたちの仲間の多くもそう。いつも自分を責めているし、「自分が悪かったからこうなった」という気持ちはなかなか消えない。それは、その人のそれまで過ごしてきた人生と、とても深く関係する感覚なの。

☆

いずれにしても、日本では、「ヤク中」「アル中」って、人間失格、みたいな烙印を押されるよね。とりわけ違法薬物の場合は、拘置所に入れられて、裁判受けて、刑務所に入れられて、出てきたら白い目で見られて、もうどこにも居場所がない。病院に行っても「うちは薬物依存は診ません」って、追い返されることもある。アルコールの場合も、「女性のアルコール依存は受けつけてないんです」ってところがとても多い。

あとでも話すけど、女のくせにクスリかよ、女のくせにアル中かよって、女性へのまなざしはとてもきびしい。どこに行っても人間あつかいされなくて、とってもみじめな気持になるの。どこにも安心できる居場所がない。だから、いつのまにかまた、もとにもどってしまう。そのくり返し。

ハウスにいる仲間たちは、そんな中で、なんとかここハウスにつながることができた人たちなんだけど、たぶんどこにもつながれなくて、くり返しそんなループにはまってしまっている人たちもたくさんいると思う。そういう人をみじかに見て、どうすることもできずに苦しんでいる人もいると思う。そんな人たちが、せめてこの本をどこかで読んでくれたらいいな、って思っています。

☾

ハウスでは、あたしたちの話をよく聞いてくれるお医者さんとか法律関係の専門家などにもほどほどたよりながら、同じような立場や境遇にいる仲間どうし、それぞれが思うことを話し合う「当事者ミーティング」っていうものをたくさんするの。

いまどんなことを感じているかとか、考えているかとか、なぜ自分がそういうふうになってしまったんだろう、とか、これからどうしていけばいいのかな、なんていうことも。この本にもあるような、テーマを決めて継続して行っていくミーティングもあるから、そんなときは、ホワイトボードやカードを使うこともあるし、みんなでイメージを図にしてみることもある。一見、「研究会」みたいな雰囲気に見えるときもあるかな。

あたしたちの仲間には、ハウスにくるまで勉強が大好きで大好きで……っていう人は少ないから、最初にそういうのを目にして、「ああ、あたしはここには入っていけない……」って思う人もいる。でも、ここは学校じゃないからね。知らないこととかできないことで非難されたりバカにされたりなんかしない場所なの。とつぜんどこからか手が飛んでくる、なんてこともないからね。

そもそも、さっきも言ったように、あたしたちは自分のことを信頼できるだれかに話す、という経験にとってもとぼしいから、最初はだれもがうまくしゃべれない（うまくしゃべれる必要もないけど）。そもそも自分のことをきちんと考えてきた経験も、自分のことを考えてもらった経験もほとんどない仲間が多いからね。

　でもそこで、先に回復を始めた先輩の話を聞いたり、同じような体験をしてきた仲間たちとともに、ことばにならない思いを共有していくうちに、少しずつ、自分のいままで歩いてきた道を見つめ直すきっかけをつかんでいくんだ。そうして、薬物やアルコールを使わない、新しい生きかたを身につけていこうとするの。

　でもまあ、こうして書いているほどにいつもいつもうまくいくことはなくて、あの人、いい感じになってきたじゃん、って思った矢先に、ミーティングにこなくなっちゃったり、連絡がとれなくなっちゃったりなんていうことも、じつはよくあるの。でもまたそのうちひょっこりここに来てくれること、あたしたちのことを思い出してくれることを、待つことにしてる。

　依存症は病気だと言ったけれど、医者だけで治すことはできないんだ。それがなぜなのか、たぶんこの本を読んでくれれば、少しだけわかってもらえるかもしれないな。

☆

話が長くなっちゃったけど、この本で話したいと思っていることは、ここにいま、かけ足で書いてきたようなことです。

どこかで奇跡（きせき）みたいに、この本を手にとってくれたあなた。どうもありがとう。

パラパラとページをめくってみて、気になるところやおもしろそう、って思うところから読んでみてね。

じゃ、またあとで！

増補新版　生きのびるための犯罪

もくじ

I あたしたちのこと

ある日のミーティング

ある日のミーティング①
薬物を使っているとき思っていたこと
薬物を使っているときどんなことを思ってた？

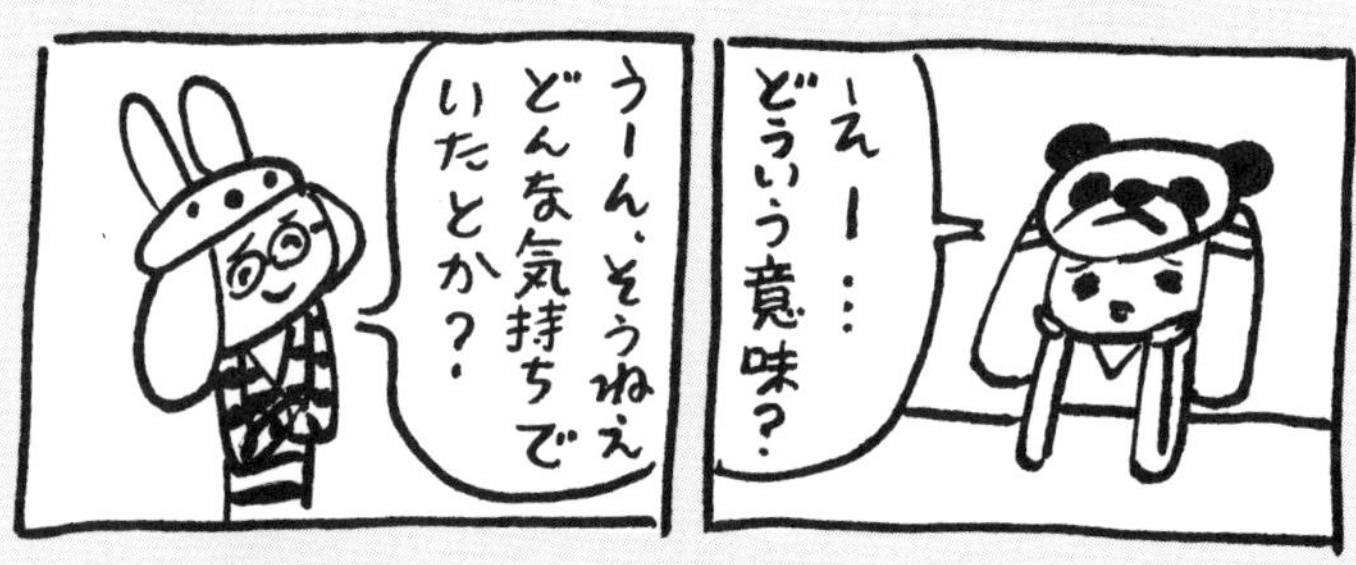
えー…どういう意味？
うーん、そうねえどんな気持ちでいたとか？

カッコイイとかいい女とかに見られたい…

バカにされたくないとか…

困ってると思われたくないとか…

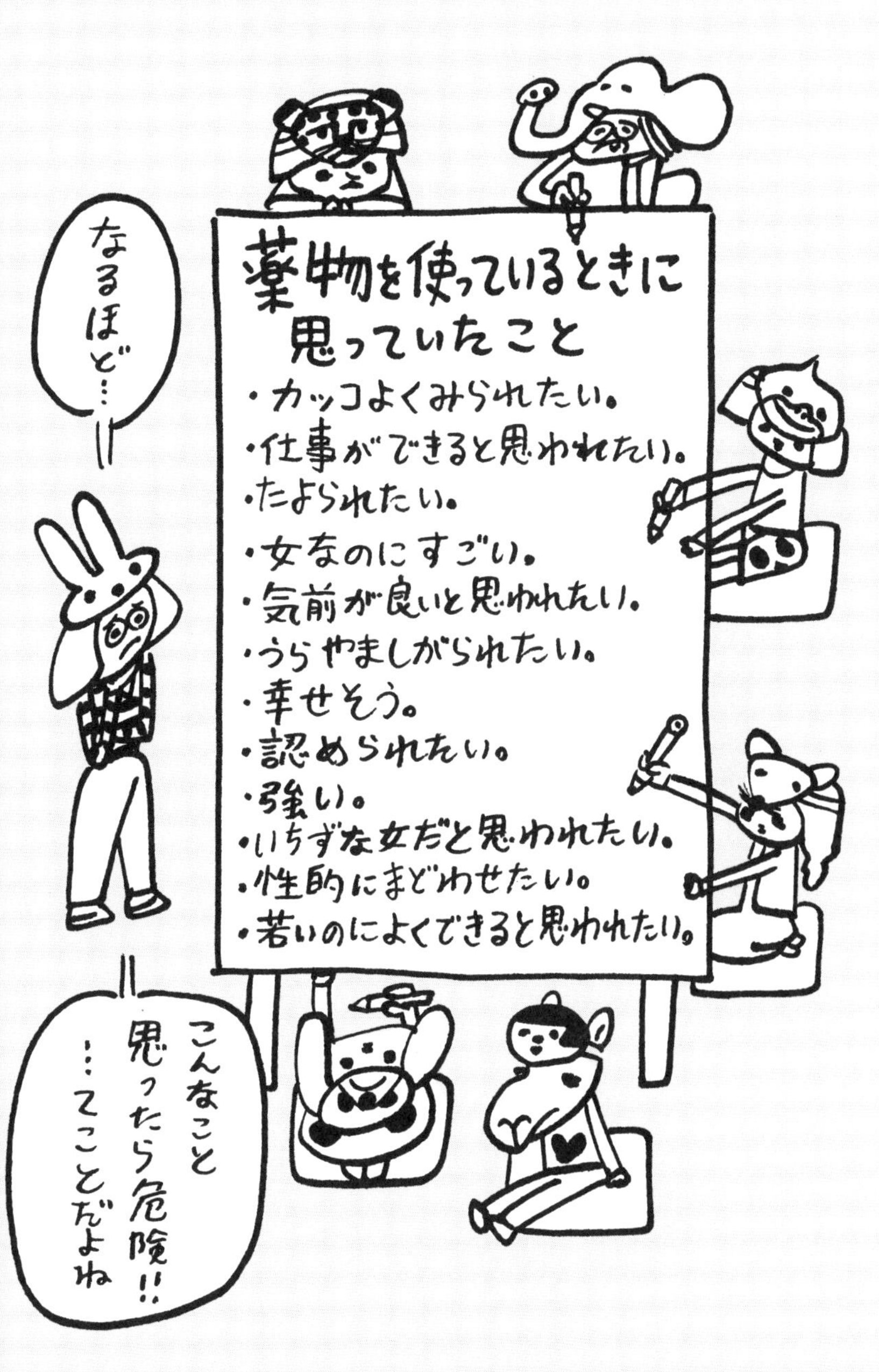
なるほど…
薬物を使っているときに
思っていたこと
・カッコよくみられたい。
・仕事ができると思われたい。
・たよられたい。
・女なのにすごい。
・気前が良いと思われたい。
・うらやましがられたい。
・幸せそう。
・認められたい。
・強い。
・いちずな女だと思われたい。
・性的にまどわせたい。
・若いのによくできると思われたい。
こんなこと
思ったら危険!!
…ってことだよね

ある日のミーティング②
今日のテーマは
捕まって
よかったこと
悪かったこと
・・・

ホッとした・・・
よかった・・・
これで・・・
クスリがやめられるって・・・

取り調べでセクハラ受けたのがいやだった
・・・

ひどいね

こどもと会えなくなってね
・・・

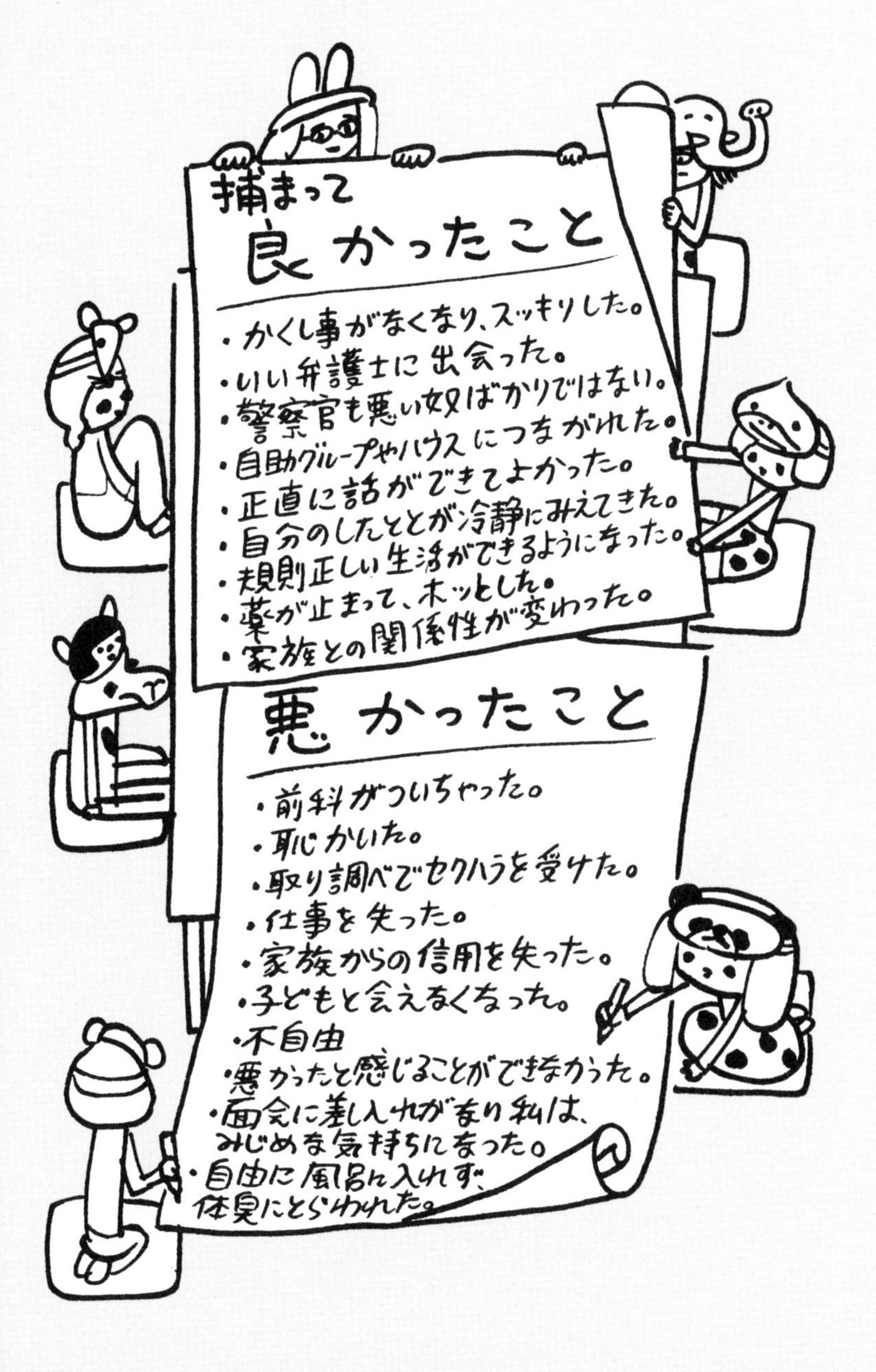
捕まって
良かったこと
・かくし事がなくなり、スッキリした。
・いい弁護士に出会った。
・警察官も悪い奴ばかりではない。
・自助グループやハウスにつながれた。
・正直に話ができてよかった。
・自分のしたことが冷静にみえてきた。
・規則正しい生活ができるようになった。
・薬が止まって、ホッとした。
・家族との関係性が変わった。
悪かったこと
・前科がついちゃった。
・恥かいた。
・取り調べでセクハラを受けた。
・仕事を失った。
・家族からの信用を失った。
・子どもと会えなくなった。
・不自由
・悪かったと感じることができなかった。
・面会に差し入れがなく私は、みじめな気持ちになった。
・自由に風呂に入れず、体臭にとらわれた。

ある日のミーティング③
薬物依存症の女性のイメージって？
イメージ
エロい
カッコイイ
死んじゃう
あこがれてた
ケバい
男性関係や時間にルーズとか…
品がない、金に汚い…
ずいぶんじゃない
なんかみんな自分にあてはまる気が…
それってイメージでしょ？本当の自分もそうなのかなあ？どう思う？

自分の思い込み

- やせてて うらやましい、かっこいい。
- 弱い。
- だらしなくて、うそつき。
- きれいにみえる。
- 品がない、お金に汚い。
- エロい、ケバい。
- 自己中心的で自信過剰(かじょう)。
- 調子がいい。気前がいい。
- 男性関係にルーズ
- 男性に養ってもらっている。
- 時間にルーズ。

本当のすがたは…?

- やさしい、さみしい。
- 自分の気持ちを伝えるのが苦手。
- バカ正直でまじめ。
- 自信がない。
- 元気になりたい。
- 普通に暮らしたいが普通がわからない。
- 自分を責めている。
- 心、身体が痛い。
- 痛みがわかる。
- 衝動的(しょうどうてき)って思われてるけど、そうとうガマン強い。

ある日のミーティング④
学校や勉強とかについて、思うことある？
暴力的な男の教師
転校生だったから、いじめられてた…
家の中、勉強できる感じじゃなかった…
じゃあこんな学校あったらよかったっていうのある？
家で困っている人のための「姫クラス」
SOSに気がついてくれるとか
勉強ができなくても怒られない

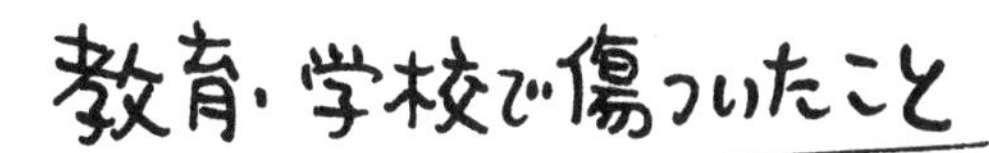

教育・学校で傷ついたこと

・体育・音楽が下手だった。(ぜんそくだったのになまけていると言われた。)
・成績をいじするのが大変だった。
・転校が多かったので授業に追いつけない。
・転校生でいじめられた。
・いじめにあっている子を助けたら、いじめられた。
・生まれつき身体が悪かったのでつらかった。
・学校の先生が暴力的でこわかった。
・校則がきびしく、ルーズソックスを切り刻まれたことで学校に行かなくなり、その後やめた。
・中1になり、彼とセックスしたのがばれて無理やり産婦人科に連れて行かれ、彼と別れさせられた。

こんな学校があったらよかったのに…
(学校でもっと守って欲しかった)

・親が働いていたから、夜も預かってくれる学校。(同じような子が集まってゴロゴロできる場所)
・勉強ができなくても怒られない。
・勉強がわかるまで教えてくれる体制。
・自分に興味を持ってほしい。
・SOSに気づいてほしい。
・金八先生みたいに、その子にあったケアをしてくれる。
・勉強だけじゃない、もっと楽しいことを教えてほしい。
・家で困っている人のための「姫クラス」。
・運動や勉強ができなくても「君はいい子だね」とほめてくれる。

ある日のミーティング⑤
こんな人がいたらよかったっていうのは？
よいかげんのオトナ
お母さんを助けてくれる人…
「たいへんだね」って心配してくれておかしをくれる魔法使い
こんな人がいてくれたらよかったのに…
・生活の上で相談できる看護師さん。
・自分の長所を伸ばしてくれるひと。
・どこにも属していない良いかげんの成熟した大人。
・お母さんを助けてくれるひと。
・SOSを出したら早く気づいてくれる保健の先生。
・おかしが置いてある部屋に行くと「大変だね」と言って心配してくれるまほう使い。
・自分を認めてくれる人
・相談の時間を設けてくれる（強制的に全員行う）。

選挙について思ったこと

- 刑務所に行った私たちには選挙に行く資格がない。
- 自分の周りに選挙に行っている人を見たことがない。
- 選挙の意味がわからない。
- 封筒を見るたびにビクビクしていた。
- 自分たちに選挙が関係あるとは思えない。
- 会ったこともない人に投票できない。
- 選び方を教えてほしい。
- 投票所ってどこにあるの？
- 誰に投票したかのひみつは守ってもらえるの？

……以上、ちょっとびっくりした人もいると思うけど、あたしたちの「当事者ミーティング」って、こんな感じでもあるんだ。

このミーティングには、つぎのような約束があるの。

- 長く話さない。みじかく、ひとことずつ。
- 薬物などを使っていたときの話もするが、その話に重心(じゅうしん)をおかない。
- 「だからこうなった」と説明しなくてもいい。「こうだった、こうなった、こう思った」だけをざっくり話す。
- 「いま、ことばにならないけれど、なんだかイヤだ」という感じを大切にする。

そして、ミーティングの最後には、それぞれのいまの気持ちやからだの感じなどについてひとことずつ話す「分(わ)かち合(あ)い」をこころがけたり、ミーティングで出た話や、そこで感じたことを持って帰るのがすこしでもつらく思うようなら、その感じはハウスに置いて帰ろうね、と決めてもいます。

さて、つぎに、最近のミーティングの主要メンバーになっている仲間をふたり、紹介するね。

ひとりめは、パンダのお面をかぶってた、凛ちゃん。

ふたりめは、ゾウのお面の、あたりちゃん。

彼女たちは、どんな人生をそれぞれ過ごして、ここにたどり着いたのか、ちょっと読んでみてくれるとうれしいです。

最後に、あたし上岡の話も、少ししてみたいと思ってます。

仲間たちの話

凛ちゃん

はじめまして。凛です。

私は、九年前にハウスにきました。

いまはハルエさんを手伝って、ハウスのスタッフ的な仕事もしているけれど、じつはいまのいちばんの悩みは、ひょんなきっかけから、とある学会で、ひとりで話をしないといけなくなってしまった、ってことです。

なぜかというと、ある大学が主催したプロジェクトにハウスも継続して参加していて、私もたまたま同じプロジェクトの実務を二年半、手伝ったりしてたから。で、その経験をつうじて、ってことで、いつのまにか、そういうことになったというわけなの。

いままでも、いろいろなところから呼ばれて、ハウスの活動について話をすることはあったんだけれど、もともと、人前で話をするのは得意じゃない。ことばも少ししか持ってないし、むずかしいことなんてわからない。「学会」とかで話をするなんて、考えもつかなかったことだし。どうしたらいいのか、どんなふうに話せばいいのか、とっても不安なの。きっとそのときになったら、ものすごく緊張して、頭が真っ白になると思うし……。

正直言えば、今回、印象に残っているのは、プロジェクトを手伝うボランティアの人たちが、ハウスのメンバーたちを毎回駅まで迎えにきてくれたり、お昼にはおいしいお弁当を出してくれたりしたことかな（笑）。みんなから歓迎されていた感じがしたんだ。

なにより、そうやって同じ場所に通っているうちに、顔なじみができるで

しょう？　そうすると、つぎに会ったときとかに、しぜんにおたがい会釈するようになったり、ときには、「また会ったね」とか「元気？」とかことばを交わしたりするようになって、なんていうかそういうのって、世界が広がる感じがするじゃない？　だから、ハウスのみんなにとっては、そんな体験が、今回、いちばんこころに残ったことなんじゃないかって思う。

　それと、私はとちゅうで少し体調をくずして休みがちになったときがあったんだけど、知らないところでそんな私をかばってくれた人がいたのをあとで知ったんだ。世の中にはそんな親切な人がいるんだってびっくりしたんだけど、とてもありがたい気持ちになりました……。

　呼んでくれた大学の先生には怒られちゃうかもしれないけど、プロジェクトの内容や参加したことの意味とかよりも、そんなふうに、そこで出会う新しいなにかとか、だれかと少しずつつながっていく感じみたいなもののほうが、私にはとっても大切なことだったように思えるんだよね。ハウスのみん

なもそうだったんじゃないかな。

　ハルエさんは、じゃあそのことを話せばいいじゃん？　って言うんだけど、学会で話すんだよ、そんな話じゃ、聞いてくれてる人たちをがっかりさせちゃう気がして、いいのかなって思ってる。ハウスってあんなにバカなのかよ、って思われたらまずいんじゃないか、だからなんか頭よさそうなこと言わなきゃいけないんじゃないかなって。でも私、なにかやってほめられたことなんてないから。そもそもそんなところで話をするような人間じゃないし……。

☽

　小学校の一年のとき、私は、お母さんといっしょに、逃げたんだ。

　父親の、お母さんへの暴力がひどくなって、どうしようもなくなったから。

　なにがそのきっかけになるのかは、私にはぜんぜんわからなかったし、よくおぼえてもいない。けど、百八十センチあって、ボクシングやってた父親が、お母さんをボコボコにするんだよ。で、百五十センチそこそこのお母さ

んは、必死にそんなお父さんにはむかっていくんだよね。でもムリでしょ。ガラスの破片は飛び散るし、お母さん、血だらけで大けが。それで夜中に父親が運転して、お母さんを救急病院に運ぶの。それでやっとけんかが終わる、っていう。私はいつもどうすることもできなくて、ぼんやりそんな風景を見てた。家の中はいつもきれいだったのに、ケンカのあとは、いつもぐちゃぐちゃだった。

それで、ある日お母さんと父親のところから逃げて、二人で生活をはじめたんだけど、いま考えると、お母さんはそれから毎日、パニックだったんだと思う。お母さんの暴力は、私に向かうようになったから。はげしく怒り出したり、「出ていく」「死んだほうがいい」とわめいたり。理由はわかんないの。こどもの私は、そんなお母さんをどうすることもできなくて、いったい私がどうしたらいいのかなんて、もうぜんぜん、見当もつかなくて。究極に困らされてる感じ、っていうのかな、傷つけられる、っていう感じなのかも

しれないな……。
毎日、お母さんのそれがいつくるか、いつくるかって思ってて、いつも緊張してたよ。ごはん食べてる最中、食器がわずかにぐらりとした瞬間、平手が飛んでくる。つぎに、「ちゃんとしなさい、こぼすんじゃないの！」ってどなり声が飛んでくる。

座ってるときにとつぜん殴られると、なぜか私、なんにもなかったかのように、姿勢をすぐにもとにもどすんだ。おきあがりこぼしみたいにね（笑）。なんでだったんだろう？　反抗かな？　そんなんで動じないよ、みたいなね。でもそれがまた、お母さんの気にさわるんだと思うけど。

殴られてるあいだは、痛いとかあんまり思わない。からだからこころがすっと抜けて、天井から自分を見下ろしてるような感覚になる。
「朝まで正座してなさい」って言われて、おとなしく正座してる横で、お母さんがずっとどなりつづけてるってこともよくあった。そんなときは、こう

やって、お母さんに朝まで正座させられている子が、私以外にもいま、世界にふたりいる。だからまだだいじょうぶ、って思ってた。ほら、世界には、自分とそっくりな人が三人いる、っていうでしょ？　そういうのを信じて、自分をなぐさめてた。

☆

もちろん、学校では、家の中でなにが起きてるかなんて、ぜったいに言えなかったよ。友だちはたくさんいたんだけど、ぜったい誰にも言えなかった。お母さんと逃げてきたとか、父親がいないとか、母親が殴るとか。

「ねえねえ凜、知ってる〜？　××ちゃんち、離婚したんだって〜」とか、そういう友だちのうわさ話とかにはぜったい乗らない。なにかの拍子にボロ出しそうで。自分ちはぜんぜんなんにも起きてませーん、って感じで、外側だけなんとかとりつくろってたんだよね。

家ではあいかわらずで、なにかするとやりかたがちがうって怒られるし、

1
2
3

なにもしなくてもおんなじ。だったらなんにもやらないで、バカなふりして
やられるほうがまだマシ、って思うようになった。なんかもうどうでもいい
や、って、あきらめというか、投げやりな気持ちだよね。
お母さんは働いてたから、夜七時とか八時に帰ってくるの。お母さんがい
ないときはいいんだけど、帰ってくると、とにかく緊張する。なにしゃべっ
ていいのかわからないし、いつどなりだすか、いつ手が飛んでくるか予想つ
かないし。けっきょく私がじゃまなんでしょう？ って毎日、思ってた。早
くおとなになりたい、って、ずっと思ってたよ。
毎晩、まず寝たふりして、しばらくしてお母さんが眠ったのをたしかめて
から起きだして、夜中までテレビ見てたりもした。お母さんなんて事故とか
で死んじゃえばいいのに、って思ったけど、でもよく考えれば、ひとりじゃ
まだ生活できないからダメじゃん、ってがっかりしたりね。
本当はもっとちゃんとしなきゃ、とか、お母さんを助けて！ って、早く

だれかに言わなきゃって、ずっと思ってた。近くにおばあちゃんもいたのに、やっぱり言えなかった。お母さんには病気をもつ弟がいて、おばあちゃんはむかしからその子の世話でずっとたいへんだったから、「凛ちゃん、お母さんとふたりになったんだから、あなたはいい子でいてね」って、私はおばあちゃんに前から言われてたし。

けっきょく、だれにもなんにも言えなかったんだよね。お母さんと私は、完全に孤立してた。ひとりぼっちっていうより、お母さんと、世界の中で「ふたりぼっち」だった、って感じかな。

☾

お母さんは、お給料が出ると、カードで大量に買い物しちゃうんだよ。高いブランドの服とか、ガンガン買いまくってたんだ。

お母さんが仕事から帰ってくるのが遅いと、「帰ってこないんじゃないか」、「死んじゃったんじゃないか」って不安になって、家中の引き出しとかをあ

さってた。お母さんの気持ちが知りたかったから、どんな気持ちでいるんだろうって、なにか手がかりになるものがあるんじゃないかって。おとなの人で、お母さんを助けてくれる人がいればいいのに、っていつも思ってたよ。

父親に久しぶりに会ったとき、「またみんなでいっしょに住みたい？」って聞かれたから、「うん」って答えたの。そしたら、「もう遅いよ。俺(おれ)ら、おまえがいっしょに住みたいって言わないから別れたんだから」って言うの。じゃあ最初から聞くなよ！って思うけど(笑)、そのときは、やっぱりみんな私のせいなんだ、って思った。

高校は、ものすごいバカ学校に行ったんだ。お母さんは「そんな学校行くくらいなら、高校なんて行かなくていい！」って、願書(がんしょ)をグシャグシャにまるめちゃったんだけど、じょうだんじゃないよね。私はシワをていねいに伸ばして、願書を出しに行って、入学したの。

高校に入ってからの夏休みは、代々(だいだい)うちがもってた小さな別荘(べっそう)みたいなと

こにずっと遊びに行ってて、家にぜんぜん帰らなかった。お母さんには適当にウソついてね。だから、「外出一切禁止」になったりしたけど、家に帰りたくなかったから、無視してたよ。

　このころもお母さんの暴力はあったけど、もう私のほうもからだが大きくなってたから、「やめろー!!」って腕つかんで止めるくらいにしてね。だって私がお母さんを殴ったら、お母さんかわいそうだから……でも、腕つかんでる時にツメ立てたりして、そうするとお母さんの腕から血がじわーって。一方的にどなられつづけることもあいかわらずあったけど、もうからだからこころが抜け放題で、私はなんにも聞いてなかった。

☆

　高三のころ、当時つき合ってた彼氏や友だちの輪の中で、はじめて覚せい剤をやった。やせたいとか、夜通し遊びたいとかいろんな理由があったような気がするけど、唯一の仲間と秘密を共有することで、居場所がほしかった

のかもしれない、と思う。
学校じゃ、「将来の夢は？」とか聞かれる時期だよ。将来の夢なんてないよ、ふつうになりたいよ、って、私は思ってた。あと、やっぱりお母さんのことだよね。お母さんのことは、私が面倒みなきゃいけないって、ずっと思ってたの。それに、お金があれば、お母さんにお金わたして、お金にモノ言わせて距離がとれるんじゃないかっていうふうにも考えたんだよね。だからお金はともかくためとかないといけない、と。

それで、お金があるといえば野球選手かあ、って私は思うわけ。野球選手はスチュワーデス……今はキャビンアテンダントって言うんだっけ？……と結婚するじゃん？　じゃあ私もそうなろう、って、高校卒業して、スチュワーデスの専門学校に行くんだよ。このころから私って、男の人になんとかしてもらおう、って気持ちが強かったのかな（笑）。

で、やっぱりこのころ、遊びでちょっとだけクスリを使ってしまったんだけど、専門学校の卒業と同時に上場企業に就職決まって、お母さんにも「どうだ!!」って。で、社会人になるんだから、クスリはもうヤメー！ 英検とかも受検しようとか、なんかいっしゅん猛烈にやる気になってたんだけど、その年のゴールデン・ウィークを過ぎたあたりから、急激に、どうしても会社に行きたくなくなってきて……そのときの彼氏といっしょに、またクスリを使うようになったんだ。そのうち相手に妄想みたいのが出てきて、浮気したんじゃないの？ とかしつこく言われてるうちに、私もどんどんエスカレートして、彼氏の家の二階から飛び降りたりした。けっきょくお母さんに別れさせられたんだけどね。

☽

そのあとの彼氏は、イランの人でね、その人からはお金ももらえて、借金とかもどんどん返せたし、タダでクスリももらえたし。こんないいことないじゃんって。こどももできてお母さんには「ザマアミロ！」って感じだった

し、結婚しようかってことでイランまで行ったんだけど、ことばもわからないし、あれ、ちょっとこれは無理かなあって。

仕事をはじめてから、私はひとりでこっそりアパート借りてたんだ。やっぱり家に帰りたくなかったからね。毎朝、一瞬だけ、着がえるためだけに帰ってたの。お母さんは不審に思ってたはずだけど、夜はバイトしてるんだ、ってウソついてた。

でもイラン人の彼がけっきょく逮捕されて、裁判になった。そうすると、いろいろなことが発覚しちゃうでしょ。しかたなく私は、お母さんにいろんなことを打ち明けたの。このときアパートの場所も教えたんだけど、それからというもの、お母さんは、クスリの売買と犯罪についての記事とか、それから、ダルクの人たちの書いた小冊子とか、山のようにアパートの郵便受けに入れていくの。私はいつも居留守使ってたから。郵便受けに入ってたものは、まあ少しは気になるから、捨てはしなかったし、チラリとは見てたよ。

でも、近所でお母さんにバッタリ会ったときは、ものすごいスピードで逃げた（笑）。とにかく顔も見たくなかったし、話もしたくなかったから。

けっきょく八年半、最初の仕事は続けてたの。ちゃんと続けたかったしね。クスリをやれば、疲れずに仕事できたから……。それに、昼間ちゃんと働いてるからいいんじゃん、って思ってたんだよね。でもだんだんと、手に入れたのを知り合いにゆずってあげたりしているうちに、いつのまにか、売る側になってしまっていたの。このころは、ほしいひとにわたしてるだけなんだから、って思っていて、悪いことしてる感覚がたぶんなかったんだと思う。あとになって、覚せい剤は、だれかにゆずったり売ったりする人間にも重い罪（つみ）があるんだってことを知って、ほんとうに驚（おどろ）いたんだけれど、よく考えれば、私のしたことは、私と同じように、長いあいだクスリで苦しむひとを増やすことにつながっていたんだよね。

いまの自分にできるのは、せめてそんなひとたちの話を聞くことだったり、

いっしょにやめつづけていくことだったり……そんなことしかできないけれど、これからもずっとつづけていくしかないと思ってる。

話をもどすね。そのあと、最初の職場（しょくば）を離れて自分で小さな会社をはじめたんだけど、けっきょく、クスリはやめていなかったんだ。

☾

大げさに聞こえるかもしれないけど、どならないで話すお母さんを、初めて見たような気がする。拘置所（こうちしょ）でね。

お母さんは私にこう言ったんだ。

「あなたが悪いわけじゃない」。それから、

「あなたの人生を返す」って。

「薬物依存は病気なんだよ」とも言ってたと思う。

執行猶予（しっこうゆうよ）で出てくると、弁護士（べんごし）が「ひとりでいると、また同じことをくり

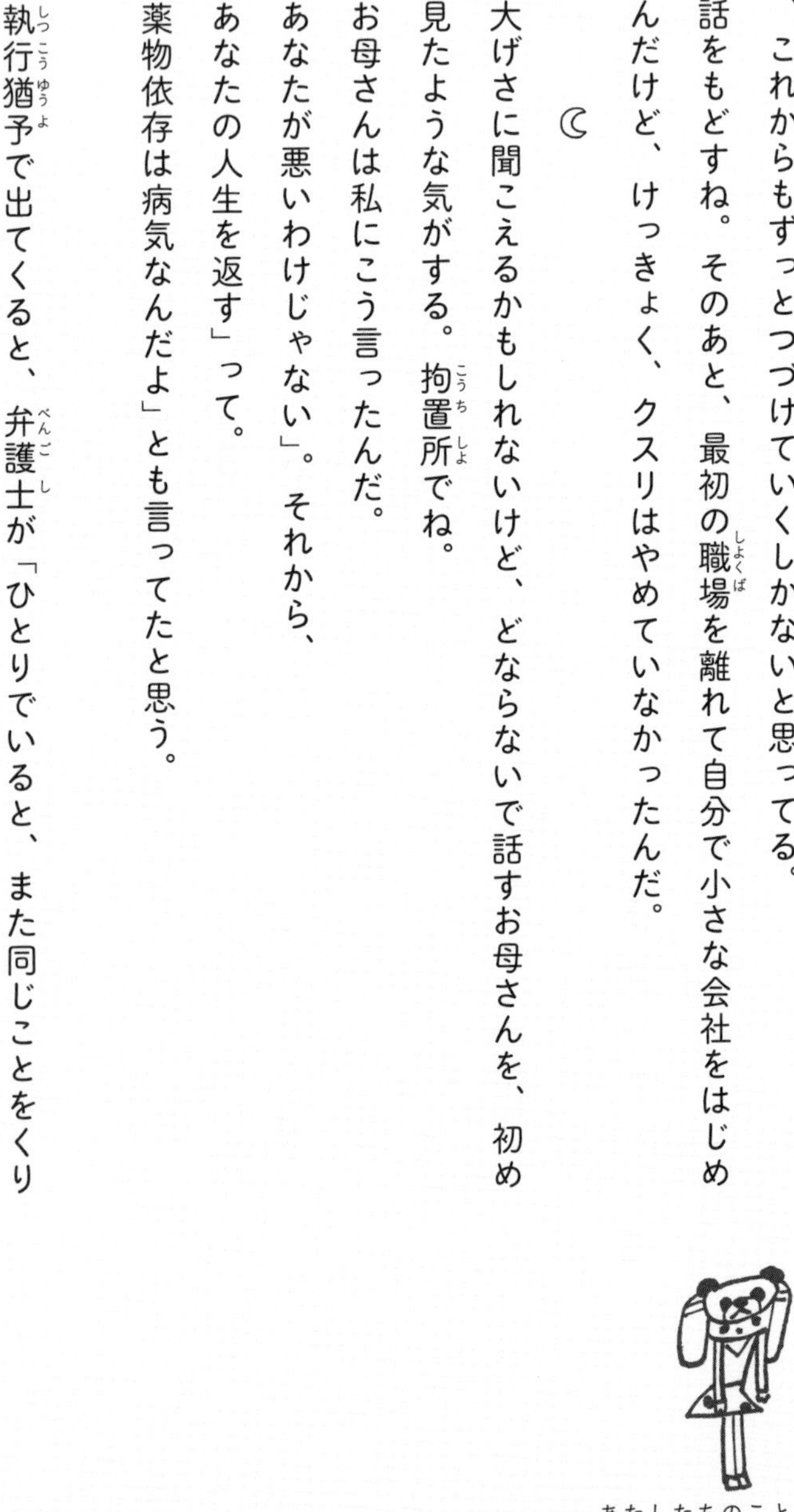

返すからね」ってことで、ある自助グループを紹介してくれた。私は早くお金がかぜぎたかったし、そのためには、こんどはほんとうにクスリやめなきゃ、って思って、言われるがままにグループに入ることにしたんだけれど、ちょっとショックなできごとがあって、またクスリを使ってしまったの。でも、こんどはぜんぜんラクにならなかった。なにも変わらなかった。それが九年前のこと。そして私は、ようやくみずから、ハウスにつながったんだ。


ハルエさんをはじめてたずねたとき、ハルエさんはこう言った。

「凜はいままで、お母さんとふたりで生きのびてきたんだね」って。

お母さんは、ハルエさんの講演に行ったりとか、薬物依存の子をもつ親の会とか、有名なカウンセラーのところとかにずっと前から通ったりしてたんだって。だからハルエさんは、私のお母さんのことも、私のことも、もうすでに知っていたの。

でも、お母さんは、親の会は苦手で、ハルエさんや、依存症の当事者の人たちの話のほうがわかるんだっていうの。そのほうが気持ちがわかるの、って。それでね、「私ももう変わりたい。私も生き直したいんだよ」って言う。

☆

ハウスにきて、「生き直す」っていうことが、私にも少しわかった気がする。クスリを使ってたときは、お母さんに対して、うらみの気持ちばっかりだった。自分は不幸で、私ひとりでがんばってきたんだとしか、思っていなかった。

でもクスリをやめてハウスにきてからは、自分の中のお母さんとのストーリーが変わったと思う。ここには、夫の暴力からのがれてきた経験をもつ女の人もいて、こどももいたりする。そういう仲間の話を聞いてると、お母さんだってたいへんだったんだ、って思うし、暴力の後遺症でうつになることもなく、いままで一生懸命働いてがんばってきたんだよな、って思えてき

ちゃうの。

お母さんは私を十七歳で生んだんだけど、まわりからバカにされないようにって、意地はって、つっぱって生きてきたのかもしれないしね。

私はいま、ハウスの仲間や、いろんな人たちにたくさん助けられているけれど、それって、お母さんのことも助けてもらっているような気がするの。お母さんとは仲間なのかな、って思う。

私がハウスに入寮して最初に迎えた誕生日に、お母さんから届いたカードには、

「あなたがいたから生きてこれた」って書いてあった。

☾

お母さんはこのごろ、「私も悪かった。ごめんね」とかって、あやまってくるんだけど、あやまられても、すっごく困る。

いまでも、私となにかでもめて言い合いになったときのお母さんの口調(くちょう)や、イライラしてるようすとかを見ると、こどものときのことがフラッシュバックすることもあるよ。そういうときは「お母さんのそういうところがイヤなんだよ！」って思う。で、ムカつくけど、でもなんかかわいそう、とか思っちゃうんだよね。お母さんのことはやっぱり心配だし、とっても大切なの。

そういえば、だいぶ前から、おばあちゃんが入院してるんだ。だからお母さんはいま、毎日がいっぱいいっぱい。いままで私、自分のことよりお母さんのことのほうが先だったんだよね。おばあちゃんが死んじゃったらそのあとどうしよう、とか、ものすごく不安だし、お母さんを助けてあげたいとは思っているけど……。

それより、こんど学会で話す内容だよ。あんまり時間がないから、考えなきゃ……。ね、こんな私なもんで、やっぱりうまくできそうにないでしょ？

ああ、なに話したらいいのかなあ……。

あたりちゃん

これから
ずっとシラフで、
生きていけるかな。

閉じ込められてたな、私。夜に閉じ込められてた。布団の中に。

お父さんの重たい足が、わたしのおなかの上に乗っかっていてからんでいて、で、うしろから抱きしめられる感じで。ずっと手も握られてる。七歳のころからだよ。お母さんは私が八歳のときに自殺したから、お父さんもとってもさびしかったんだろうな、ってずっと思ってた。わたしはまだ小さかったから、毎晩、布団の中にもぐりこまされてね。お父さんが起きる時間までずっとその状態でいたんだよね。もうむずむずして、動きたい感じがして、じたばたして……。家を出たあとも、布団の中にもぐりこんで寝るのがくせになっちゃって、そのあいだ中、もうくるかな、くるかなって思って寝つけなかった……。なにがくるのかな、ヤクザかな。なにかを待ってる感じ。襲いにくる感じ……？　で、クスリをつかうと、ラクに待てたんだ。かぎっ子が親を待つ感じかな、ちょっとキャピキャピしたりしながらね。

あ、でも刑務所ではね、布団から顔を出して眠らないといけなかったんだよ。生きてるのを看守が確認しやすいようにって。

そのころ、お父さんが朝、会社に行ったあと、わたし、ひとりで布団の中にいたり、こたつにもぐってるとなんかうれしくて、そのまま少し眠っちゃう。妹もまきこんだりして、きょうだいそろって、小学校、毎日遅刻してた。

だってお父さん、朝までずっとなんだもんね、さすがに疲れるよ。

☾

妹はお父さんに毎日ものすごく責められてた。きもちわるいとか汚いとかばっかり言われてたもんね、私にも殴られるわ蹴られるわで、毎日虐待だよ。でも、妹のほうが学校ですこしは友だちもいたし、お弁当つくってくれる先生もいたんだよ。近所のおばちゃんにもすこしはかわいがられてたと思うしさ。だから妹にとっては、まだ学校にいるときがマシ、よくわかんないけど、人としての人権っていうの？　そんなのが私よりまだあったっていうか。私は学校では、すさまじくいじめられてたよ。ああそういえば、保育園のころからだ。保育園のとき、ほかの子に顔をツメでぎーってやられてね、顔から血がだらーって。ずっとそんな感じなんだ。

妹は、中学のときに家出したの。おんなじような子たちのたまり場になっ

てる安アパートにいたんだけど、そのうち警察につかまっちゃった。

そういえば妹が小学校一年のときだったかな、おねえちゃんがしてるのってセックス？　って私に聞いてきたことがある。布団の中だったけど、妹の寝てるとなりでだったからね。そんなことば、きっと学校の友だちとかが教えてくれたんだと思うけど、私は妹にだって性欲あるはずじゃんって思ってた。ハルエさんは、「布団の中のお姉ちゃんが、なんか苦しそうに見えたんじゃない？」って言うけど、そうかもしれない。どうだったのかなあ。

私はアダルトビデオとか、お父さんに見せられてたの。エロ本も見てたし。女の人が媚び売る感じで、そうするのがカッコイイって、小さいときからずっと思ってたよ。

そういえば、二番めに入った刑務所で、すごくイヤなことがあったの。入所するとまず面接があるんだけど、その面接のための事前調査みたいなも

のがあるのね。その調査の紙に、母親のこととか父親のことについてなにか書かないといけない欄があったから、私は「父親は性虐待してました」って書いたんだ。

そのあと面接なんだけど、部屋に入ると、コの字型に机が並んでてね、刑務官が何人もいるの。私はものすごく緊張してたんだけど、とつぜん、その中のひとりの男性に、ものすごく怒られたんだ。「親のことをこんなふうに書いて、いいと思ってるのか!!」って、すごい勢いで。まるで、そんなことあるはずないだろ！　っていう感じだったんだ。だって、親のことを書けって書いてあるから素直に書いたんだよ。びっくりしたし、ひどいじゃないかって思ったけど、ああ、ここもそういうところなんだなってすぐに思った。どうせ、どこも同じなんだ、って。

☆

ハウスの中にいても、私、どこかみんなとちがうよね。親、いないし。自分だけ話してる内容がずれてる感じがしちゃうの。ミーティングで話してても、いつも自分だけどこかはずれてる感じが、どうしてもずっとあって……。

いまはひとり息子を施設に預けてるの。たまに会うけど、ずっといっしょにいるのはムリ。私は家ではいつも、ダラダラ寝っぱなしだから。外に出て、世の中のいろんな価値観に合わせて生きてると、とっても疲れちゃうんだ。でも、こどもといっしょだったら毎日そんなわけにはいかないでしょう。ともかく私のところにいたら、確実に不良になると思う。家の中、おもいっきりグチャグチャだし。

うちの玄関には、息子が前に買ってきたカブトムシがいるの。カギあけて玄関に入ると、「ただいま」って気分になる。生まれてはじめて「ただいま」って気持ちを味わってるんだ。カブトムシを通してね（笑）。

……ただいま
SUPER
ダルク

☆　ハウスの仲間たちがどこかに呼ばれて、みんなで順番に、聞いてくれてるお客さんに向かって話をすることあるでしょう？　そうするとへんな人がいるよ。私のこと、へんな目で見てたりね。なんか性的な視線を感じるの。私もそういう目で人を見てることがあるのかなあ。

　でもね、そういう人もいるけど、そんなふうに話をしたあと、誰かしら、「たいへんだったね」って言ってくれる人がいるんだ。私とか私の話なんか、ぜんぜん認めてくれない人もいるけど、たまにそういうふうに聞いてくれる人がいると、なんか抱きしめられてる感じがする。小さいときは、自分がつらいとかよくわからなかったし、泣いててもだれもなんにもしてくれなかった。抱きしめてくれる人なんていなかったね。

☾

いま私は大学に通ってるの。心理学とか社会学とか勉強してるんだ。臨床心理学とか犯罪社会学とかもね。

そういえばこのあいだ、授業でね、真っ白な紙をわたされて、赤ちゃんのときから大学までの、自分の友だち関係や人間関係を用紙に書けっていう課題が出たの。あたし、ほかの学生たちよりずっと年上だから、ほかの人より、書くスペースがたくさん必要なわけじゃない？　だからよぶんに紙をもらうんだけど、そのわりになんにも書けないの。ペンが止まっちゃう。課題ができない。それじゃ点数もらえない。で、先生に最後に、自分にいままでおきたことを話したの。友だちがいても、いつもつくろってたとか、いろんなことをバーッとね。生徒はたくさんいるわけだから、たぶん私以外にだって、こういう課題が出たら苦しくなる子がいると思うけど、わかってないよね、先生は。ペンが止まってたら、なんか気がつくでしょうふつうは、と思

うけどなあ。

ほかには、自分の中にある怒りとか、暴力的ななにかにポイントをおくんじゃなくて、母性的な感情、たとえば動物や植物とか、こどもとかと接するときの感情の部分にポイントをおいて、それを高めるということをすると、問題点が小さくなってくる、とか勉強してる。カブトムシとかもいいんだよね。幼虫とか、すっごくかわいいしね。

だから、授業は自分の役に立つことも多いよ。でも、先生はわかってないよね、しんどい思いをしてきてる人のことが。がんばればできるとか、大学きたんだから、どうであれ、やるべきことはやれとかね。この子、なんかつらそうだな、なんて発想はない。先生がきらいなわけじゃないし、学べることは多いんだけど……。

私がおかしいっていうのはわかってるよ。だから私のせいで授業の足をひ

っぱりたくないとも思うんだ。でもね、やっぱりいろんな問題はあるよ。

☆

最近、私がちょっと傷ついたのは、授業中に、記憶といつわりの話になったときかな。父親から性虐待を受けてきたっていう女の子の話なんだけど、先生が言うには、じつは、虐待を受けてないのに受けたんですということがあるとか、そもそも記憶ちがいの場合があります、って。学校の先生の言うことがすべて真実じゃないってことはわかってるけど、でもね、一度でも虐待を受けた人間はずっとおぼえてるの。記憶ちがいとかウソとか、かんたんに言わないでほしい。

私について言えば、薬物使ったことは、やっぱりいまでも悪いこととは思えない。二十歳のころ覚せい剤で捕まったときは……思わず「ピース、ピース！」ってやりながらパトカーのっちゃった。本当にバカみたいだけど（笑）。

でも、いまでも自分はいけないやつだ、としか思えない。ハウスにいて、仲間の中にいて、あと、いろんなところでしゃべる機会があったりすると、薬物に対する見かたがいろいろあるっていうことも、わからなくはないんだけど……。だから、大学では、ゼミとかで手を挙げて薬物のことを話せるし。私の話には、ちょっと説得力あるかも（笑）。あと、こどもとの信頼関係をつくることはてもだいじです、とかね。ゼミで課題をほめられたこともあるんだよ。

私が大学に入るために、ハウスのみんながすごい協力してくれた。高校だって三十過ぎて入り直してるしね、その手続きのときの区役所の担当者はけっこういい人で、いろんな人を説得してくれたんだ。高校ではちゃんと上ばきもはいたよ、あの、前のとこにゴムがついてるやつ。水泳の授業のときは、「先生、私もスクール水着ですか？」って聞いたら、さすがに「あ、それはい

いよ」ってことになったけどね。私はこのさい、スクール水着でゼッケンつけてって、まあそれもいいか、って思ってたんだけど、残念（笑）。

☽

そういえばこのあいだ、たまたまある講演会みたいのを聞きに行ったんだけど、その中で、ある人が「売春は自傷行為だ」「売春は暴力だ」って、売春してる女の子にさとしてる、っていう話があったの。

私はなんとなく違和感があったな。そういうふうにさとしてる人は、少女の売春にくわしくて、なんとかそれを防がなくては、っていつもがんばってる支援者だから、それじたいはすごいな、なかなかできることじゃないなって思うんだけど、でもね、とくに「暴力だ」って、さとす相手をまちがえてる気がするんだ。暴力は売るほうの問題？　そうじゃないんじゃないかって。

買うほうのおじさんも「こんなことしちゃダメだよ、自分を傷つけるのはよ

くないよ……」ってよく言うよね？　じゃ、どっちもおんなじじゃん？

　あと、売春って、ほんとうにデメリットしかないのかな、って思う。もちろん、とくに若い子やいじめられっ子タイプの子が、どうしようもなくなってそうする場合は、デメリットのほうがぜんぜん大きいだろうけど、年齢やタイプによっても少しちがうんじゃないのかな。でも「自傷行為だ、暴力だ」ってだれかに断言されちゃうと、売春してる女の子や女の人は、どんなタイプでも、どんな事情があったとしても、全員がそれにこたえるように演技するしかなくならない？　私もむかし、そうだったから。けっこう苦労したよ。だから、少しだけだけど、気持ちがわかるような気がする。

　それにね、なんだかそういう言いかたって、一見、正しいみたいな感じがするけど、本人に本当のことをなんにも話せなくさせてしまうんじゃないのかな。だからなんとなく私は、違和感、感じたんだと思う。もちろん、ゴムしなかったり、ヤクザみたいな人について行くとかになったら、たぶんとっても危ないんだろうなって思うけど。でも、よく考えれば、危ないのは売春だけじゃないじゃない？　なにしてたって死ぬ可能性はあるし。それに、カウンセリングなんかより、なんか少し話せたりする場合もあったりして。てきとうに無責任になれる距離感のほうが、ちょっとだけ安心したり……しない？　前にハウスでそんなこと話してたら、ハルエさんに「もうちょっとよく考えなよ！」ってしかられちゃったけど（笑）。

話もどるけど、会のとちゅうで、そんなこと頭の中でぐるぐる勝手に考えてたら、主宰者のうちのひとりが「支援者が傲慢になっちゃいけないんじゃないか」って言ってくれたの。私もようするにそういうことが言いたかったのかなって思って、なんとなくほっとした。

それにしても、私って、これからずっとシラフで生きていけるかな。

ハルエさん

上岡です。

ふたりの話……まあ世間的には「トンでもない！」ってことばかりなんだろうけれど……ふたりとも、まあよく生きのびてきたよねって思う。あたしはそれだけで、とても切なく、いとしく感じてしまう。

さて、あたしはどうして、アルコールや薬物の依存症になったんだろう。

「地獄の底」は豊かだった…

あたしはね、小さいころからひどいぜんそくがあったの。「気管支ぜんそく」というやつ。どのくらいひどいかといえば、気温が二、三度下がっただけでも、気管支がぎゅーっと縮んでしまうの。わずかな温度差が大きな刺激になっちゃうのね。発作で死んでしまう人もいるんだ。あたしも、ひどい発作のとき、肺が破けてしまったこともあるくらい。そんなふうに本人はとても苦しいんだけど、外からはそうとはわかりにくいタイプのぜんそくなのよ。

それでね、そのころのこの病気の薬といえば「ステロイド」というやつなんだけど、これはね、飲んでいるうちに、おそろしいことに、食欲がものすごくふくらんでしまって、その結果、どんどんどんどん太ってしまうの。あたしの場合は、小学校の一年生のときに飲みはじめて、半年もしないうちに体重が倍になってしまったくらい。そのころは、気持ちが上がったり下がったり、とてもはげしかった。男子からはデブとかフグとか言われるし、薬のせいもあるしで、はげしく怒ったと思ったら、ものすごく機嫌よくなったり

してね。そんな自分が、自分でもつらかった。そもそもクシャミしたり坂道を上るだけでも発作がおきたから、学校をしょっちゅう休んでいたの。

☆

そんな思いをしながら薬を飲んでいたのに、病気はぜんぜんよくならず、けっきょくあたしは、小学校六年生の十二月、家から車で二時間かかる結核病院と同じ敷地にある小児病棟に入院することになった。そこはね、あたしみたいな呼吸器系の重い病気の子だけじゃなくて、いわゆる難病の子たちが何人も入院してた。からだが成長しなかったり、心臓の病気で赤ちゃんのときから何度も手術しているから全身紫色だったり、病気のせいでからだがにおったりね。みんなふつうの学校なんて通えないから、この病院の敷地の中には学校があったの。いわゆる養護学校だよ。あたしたちは毎日、病棟から歩いて数分のところにあるこの学校に通っていたんだ。なんといっても近いというか、同じ敷地の中にあるわけだから、体力的にはとても助かっ

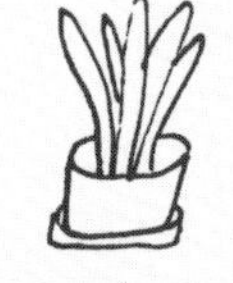

たけれど、ここから外にはけっして出ることはできないんだ。病院は塀に囲まれていて、その塀の外側は広い林に囲まれているし、駅からはとてもとても遠いしね。人里離れた隔離病院って感じだったの。いま思い出しても、とてもさびしい風景だった。

　そもそも結核って、感染するし、いまとちがって、不治の病と考えられていたから、この結核病院にいるあたしたちも、世間からはこわいとか、危険な人たちって思われてたんだよね。

　それからね、いろんな地域からこどもたちが集まってきているから、家がとても遠い子もいる。だから、平日にはとてもじゃないけど面会にこれない親もいて、医者が気をつかったのかな、面会日は土日だけだった。あたしの親はひと月に二度くらいはきてくれてたかな。

　あたしだけじゃないと思うけど、家族と離れて一人で入院生活をするのは、ほんとうはさびしかったし、こわかったよ。でも、こどもって親に本当のこ

とが言えないんだよね。ガマンしてることだけは誰にも知られたくなかった。自分はもう「おとな」なんだし（こどもなのにね！）、一人でなんとかするから、って思ってたし。あたしには弟もいたから、いつもしっかりしたお姉ちゃんでなきゃ、ってずっと思ってきたしね。だから面会にきた親には、「すっごく楽しいよ！　元気元気！」っていつも言ってた。

☆

もちろん、毎日学校に行けるのも友だちがいるのもうれしかったし、体調がいいときは、小さな校庭にある木に友だちみんなで登ったりして大騒ぎしたこともあったよ。でもね、どんどん病気が進行する友だちもいたし、とつぜん、亡くなってしまう友だちもいた。

敷地の中には焼き場もあったの。亡くなった友だちたちがどこで火葬されたのかはわからないけれど、当時、ここに入院してた結核患者のなきがらは外に出すことができなかったから、ここで火葬されてた。

あたしは当時、この焼き場の煙突から出る煙を見ながら、あ、また誰かが死んだんだな、あたしはこの先いつ死ぬんだろうかとか、外にある学校に行ける日はくるんだろうか、仕事なんてできるんだろうか、結婚は、こどもは……つぎつぎと頭に浮かんできて、不安で不安でしかたなかった。

そのいっぽうで、入院してるこどもたちの間では、自分が発作をおこしても「苦しい！」ってどれだけ言わないでいられるか、っていう競争がはやってたりしてて、あたしも、ぜんそくの発作が起きてもそれを言わないようにひたすらガマン。あたしの場合、発作といっても、さっきも書いたように外から見たら地味なものにしか見えないから、医者も気がついてくれなかった。

あと、いまでもおぼえてるのは、あたしたちの通う養護学校のガードマンが、いわゆる「戦犯」だったこと。入院してしばらくたったある日、学校の建物の奥のほうに、なんだかふつうの洗濯物とかが干してある部屋があるのに気がついたんだ。病院に不似合な家財道具みたいなのが、ろうかから見え

たりね。

当時から私は知りたがりで、なにか謎があると「なになに？　なにこれ？」って気になってしまうタイプだから、しばらくようすをうかがっていたの。そうしてるうちに、どうもガードマンは、ここに家族で住んでいるらしい、ってことがわかってきた。それからあたしは、そのガードマンのおじさんとたまに話すようになったんだけれど、戦前に公務員だったこの人は、戦後、公職にもどることができなくなって、ここで仕事してるんだって教えてくれた。

ここは、どこにも行き場所がない人たちばかりがいるところなんだな、って思ったのを、おぼえてるんだ。

☾

中学生になるころには、あたしは看護婦さんの部屋に忍び込んで、薬を盗むようになったんだ。そうして少しずつためておいて、好きなときに飲むの。

カーン
モク
モク
モク
モク

それから同じころ、摂食障害にもなった。過食症だね。薬の副作用で食欲が増していた、ということもあるけど、それだけじゃなかったと思う。なんか漠然と毎日毎日不安で、ともかくどんぶりごはんを三食、食べまくる。人の分や残った分も、もちろん、おやつもね。そうやって一気に飲んだり食べたりして、自分を落ち着かせてたんだろうな、っていまでは思う。

　けっきょくこの小児病棟に、あたしは三年と八か月いたの。完全に治ってはいなかったけれど少しだけよくなって、そのあと、ふつうの高校に進学した。でもね、これだけ入院してるとさすがに体力がなくなるから、授業で調理実習とかあって立ちっぱなしだったりすると、そのあとはもう、イスにただ座っていることすら耐えられないくらい、ぐったりなんだ。

　でもね、「あたしはだいじょうぶだ」って思うのが長年のくせになってしまっていた。なにより、三年八か月ものあいだ、あたしはひとりで生きのびてきたんだもん、あたしはほかの人とはちがう、同級生のだれよりもおとな

なんだ！　ってね。入院してたころのことなんて、高校の友だちたちにはいっさい話したこともなかったし。例によって、だれにもかれにも、「楽しい、楽しい！」って言いまくってたしね。

そのころのあたしは、入院中とは正反対に、ご飯がぜんぜん食べられなくなって、みるみるうちにやせていった。拒食症だ。いま思えば表側の元気さとはうらはらの、キワキワのアブない高校生活を送っていたんだよね。

そのころは、入院してた病院にたまに通院してもいたんだけれど、ある日、診察のあと、入院当時お世話になってた美術の先生に「ちょっと上岡」って、呼ばれたんだ。それで、学校のとなりにあった温室で、友だちがまたひとり、亡くなったことを聞いたんだよね。その子は、あたしよりひとつ年下で、あたしが退院した一年後に、おなじように退院して高校に通っていたっていうのはなんとなく聞いていた。美術の先生は、「寿命だったんだよ」って言った。なにそれ、それと死ぬこととなんの関係が？　って感じだった。そしてその

ときあたしがいちばん不思議だったのは、こうして誰かが亡くなっても、世界というものは、けっしてこわれてしまうことはないんだ、っていうことだった。悲しいというより、こころがぽっかり、からっぽになってしまった感じだった。

いまでもそのことを聞いたときのことはリアルに思い出すよ。温室のトマトの赤い色、湿(しめ)った空気と青くさい野菜のにおい、美術の先生の「上岡、知ってるか？」ってあたしに問う声と、とつぜんの話。そしてそれでも世界はこわれないんだ、っていう、ぼうぜんとするような、不思議な感覚……。

父親が病院の玄関(げんかん)のあたりで、診察を終えてもどってくるあたしを車で待っていてくれた。でも家への帰り道、運転してくれている父にそのことを話すことはできず、父もあたしになにをたずねるでもなく……まあ父は、むかしからなにを考えてるのかよくわからない人だったけれど……。ともかくそんな父の後ろの座席でじっと涙(なみだ)をこらえていたら、息ができなくなって、そ

れとともに、いままでにおぼえたすべてのことばと感情を、一瞬にして失ってしまったような気がしたんだよね。

☆

このあとあたしは、自分もどうせ死ぬんだから、いいことも悪いことも、すべてのことをやってやろう、と決めて、つっ走りはじめたんだよね。いま思えば、このときにちゃんと泣けばよかったのに、って思うけど、そのときはそんなことに気がつくすべもない。

生徒会長に立候補して当選して、ガンガン、ボーイフレンドつくって、クラブ活動はボランティア部。異常なほど活動的だった。校則はめちゃくちゃ無視した。わけがわからない高校生活、とうぜんのようにして、あたしは大学受験に失敗した。

高校を卒業したころは、またぜんそくがかなり悪くなっていて、大量にステロイドをのんでいたから、十九歳のころ、あたしの体重は八十五キロぐら

いになっていた。ああ、デブでブスなあたし……。

ともかく、このころから二十六歳で依存症の施設にいのちからがらつながるまでは、いま思うと、はげしい自己破壊活動に明け暮れていたの。病院でもらう処方薬とアルコールへの依存、そして男性関係。アルコールとグレープフルーツだけしか食べない拒食。食べないことがキレイなことだと思ってた。女性的なものが苦手で、少年みたいにしていたいと思っていた。自分じゃないもの、自分以外のものにならなくちゃいけないと思っていたし、自分だけこうして生きているのはまちがっているんじゃないかとか、つねに切迫した、そして同時に、どこかうしろめたいような気持ちがあった。

そしてこのときとてもつらかったのは、時間の感覚がどこか大きく狂っていたことだ。短い時間が、永遠につづく時間のように感じる。たった五分しかたっていないのに、五時間くらいの時間が流れているように感じられる。

これはその後、いまにいたるまで、調子が悪いときにかぎってよみがえってくる感覚だ。

☽

そんななかでも、友人や恋人といる昼間は、まだなんとかギリギリでかたちを保っていたかもしれない。でも、夜になるとすべての不安がやってくる。そうして薬とアルコールへの依存はどんどんひどくなり、仕事や、そして住むところ（つまり男性）さえ、東京、神戸、京都……転々とした。誰といても、三十分もいっしょにいるといたたまれなくなって、人からも場所からも逃げたくなった。なんの不安なのか、なぜそう感じるのか、そのときは、ぜんぜんわかんなかった。

ステロイドや痛み止め、安定剤などの大量の薬を、アルコールで流し込む。いつも土砂崩れの地面に立っているみたいで、だからなにかにつかまりた

くてしかたなかったから。人間関係も、健康も、経済も、すべてがめちゃくちゃになってしまうのはわかっているのに。

天井が落ちてきそう。地面が迫ってくる。頭がおかしくなっちゃいました。あたし、まだ二十五歳なんです。まだ若いのに。お酒飲んでは倒れてるんです。親に対して恥ずかしい。親が私をつけてる気がする。雨なんてふってないのに、頭の中でザーザー音がするんです……なんどか保健所に助けをもとめようとして電話番号をダイヤルする。でもいったい、まずなんて言えばいいんだろう。わからない。3コールめで受話器をおいてしまう。

ある日、婚約者に、「もう死ぬ」って電話した。「死にます」ってね。親にも会わせた婚約者だよ。しかも夜中に。めちゃくちゃだよね。で、電話を切ってから、その場に倒れて、数時間、気を失う。目が覚めて、アルコールが充満したままのからだでダウンジャケットをはおり、ポケットにあきもせずアルコールのビンを押し込んで、フラフラと外に出た。で、意を決して歩

道橋にのぼったとたん、とつぜん、たしかな意識で思い出した。そうだ、あたしの部屋の押し入れの中には、山のようなアルコールの空ビンと、大量の薬があるんだった……このまま死んでは……要するに、見栄っぱりなんだね。まあ、押し入れのゴミが私のいのちを救ってくれたってわけ。人間、なにに助けられるかわかんないよね。

つぎの日もおなじことをくりかえして、やっぱり決行できなかったあたしは、とうとうある友人に電話して、こう言った。

「アルコールが、とまらない」。

こうしてあたしは、東京にある、アルコール依存症の人たちが暮らす施設「マック」に連れていかれたの。二十九年前のこと、あたしは二十六歳になっていた。施設に入ることは、まるで、地獄の底におりていくようだった。あたしの人生は、もうこれで終わりだと思っていた。

女性の依存症なんて、あたしだってそれまで聞いたこともなかった。だから自分がそうなんだと認めることは、家族に恥をかかせることだと思っていたし、そんな自分に心底、絶望していたけれど、からだがしびれて、震えて、冷たくて、頭だけ熱くて、めちゃくちゃイライラしていた。地理とかにも混乱していて、知っているところに行きつくことができなくなっていた。

ところで、ここマックの利用者はほとんど男性だったんだ。女性の入所者（通いじゃなくて、施設に寝泊まりして暮らすってこと）は、あたしを入れて三人だけ。もともと女性は出入り禁止の施設だったんだけど、少し前に女性も利用できるようになったばかりだった。その三人のうち、あたしといっしょに入所した仲間は、いま考えても、どこかとても不思議な人だった。

いつもVネックのよれ気味の白いサマーセーターにグレーのズボンをはいていて、腕には四角い小さなビスケットの缶を、いつも大切そうに抱えていた。その中にはメモと鉛筆が入ってるの。頭は短めのパーマをあてて中年太りのカラダだったけれど、おばあさんみたいにも見えた。でもなぜか、胸はとても白くて、それが少しなまめかしい感じがしてたんだよね。意外と若かったのかもしれない。彼女があるときこう言っていたのが、あたしはいまでも忘れられないんだ。

「毎日、目が覚めて天井があると感謝できるんです、ありがとうございます」。

そんな彼女がある日とつぜん、すがたを消してしまったの。そしてそのひと月後、ひょっこりもどってきたと思ったら、施設と隣の家のあいだの細い敷地で店開きをするんだって言う。行ってみたら、止まった時計や壊れたベルトとかを地面に並べて売ってたの。たぶん私たちに会いたかったんだと思うけれど、翌日にはまたどこかに消えてしまっていた。

彼女と最初に会った日、いっしょにお風呂に入るのが、あたしはじつはとてもいやだった。

高校生以来、あたしには恋人がたくさんいた。たくさんいた、というより、親しくなるとなぜだかとても不安になって、そのつどどんどんつきあう相手を変えていた、ってことなんだけれど、そんな自分のことをずっとどこかで「汚い」って思っていたから、あのときの彼女のたたずまいに自分を勝手にうつして、彼女を拒否していたからなんだと思う。

こんな施設に入ってしまったあたし、こんなところまで落ちてしまったあたし……入所してからずっと、あたしは自分自身を受け入れられなかった。自分がとても汚いって感じていたし、自分のことが大嫌いだった。このあと十年近くのあいだ、あたしは仲間の中で毎日、泣いていたと思う。

Vネックの彼女ばかりではなく、マックにくる人たちのすがたは、むかし入院してた病院にいた傷痍軍人や戦犯のガードマンのおじさんたちとも、どこかがかさなっているように見えた。戦争のつめあとみたいなものが、ま

だ日本のあちこちに残っていたのかもしれない。うまく言えないけど……。そしてそのころの仲間たちは、男性も含めて、ホームレスの人が多かった。やっぱりどこにも行き場のない人たちばかりだった。

でもね、そんな「地獄の底」にたどり着いてしまったと思い、絶望していたあたしは、しばらくここで過ごすうちに、地獄の底は意外と豊かな場所なのかもしれない、と少しずつ気づくことになったんだ。あいかわらず自分自身が嫌いで、仲間の中でさめざめと泣きつづけることに変わりはなかったけれど。

アルコールや、とりわけ薬物がやめられるなんてあり得ない、と思われていたこの時代に、それらで失敗したことを受け入れてくれる人、人生を投げ出さずに、やり直そうとしていた人がここにはいたからだ。ここにいるみんなが、失敗に対して、そして失敗した人間に対して、心底、やさしかった。

☽

マックに入所してから八年後の一九九一年、あたしは、それまでに出会ってきた薬物依存症の女性たちとともに、「ダルク女性ハウス」を立ち上げたの。行き場所のない、若い薬物依存症の女性たちのための場所、そしてそんな彼女たちとずっといっしょにいられる場所が、あたしは、どうしてもほしかったし、必要だと思っていたから。

ところで、このときのあたしの体重は四十八キロ。入所して一年目に、ぜんそくを落ち着かせるために三か月ほど入院し、ステロイドをやめたことがきっかけになったんだけど、最盛期（？）の約半分の重さだよ。人間のからだは、なんて不思議なものなんだろうね。

☾

依存症っていうのは、自分のこころの中に、大きな穴があいたような状態のことなんだ。

じゅくじゅくするような、それでいて空っぽな痛み。

それを忘れるために、「依存」ほど、よくきく薬はない。

大量のアルコールや山のような薬を摂取する、買い物やギャンブルがとまらない、食べ物を食べない、過剰に食べる、そして吐く……そんなふうにわけがわからなくなって、人に迷惑をかけるということもわかっているのに。

たとえば誰にでも、失恋したり、なにか大切なものを失ったり、試験や仕事で大失敗したりして、ああもうダメだ、と落ち込む、という経験があるでしょう？　そんなとき、自分が価値のない、ダメな人間だって思ってしまうよね。そしてヤケ食いしたり、友だちにグチったり、意味のないことをあれこれしまくったり、おとなら大酒飲んだりしてして、なんとかやり過ごそうとしているうちに、自分だけが悪いんじゃないんじゃないか、まあいいか、とか思いはじめて、やがて立ち直っていくものだよね。

でも、依存症の人は、いってみれば、ずっと立ち直れない状態が続いているようなものなんだ。こころの痛みがいつまでもとまらない、自分はダメな

人間で、生きている資格も意味もない、だから自分なんていつ死んでもいい、と思いつづける。

なぜなんだろう。

あたしの場合、ずっとあとになって気がついたんだけど、自分が楽しく過ごすことは、亡くなった友だちたちのことをまるで忘れてしまうみたいで、だからそんなことはぜったいに許せなかったんだと思う。自分だけ生きのびてしまったこと、生き残ってしまったことへのうしろめたさ、って言ってもいいのかもしれない。だからあたしは楽しんだりしちゃいけないんだ、って。長いこと、それはことばにならなかったけれど、こころの奥深いところで、ずっとそう感じていたんだと思う。

でも、そんなことはすぐにはわからないんだ。自分がなにを感じていたのかがわかるには、そしてそれをことばにできるようになるには、長い長い時間が必要だったりするものなんだね。だって、あたしの場合も、四十歳にな

ってからだよ、自分がそんなふうに感じていたんだってことに気づいたのは。

☆

そんなあたし、そしてあたしたちのこころの痛みは、たぶん、よっつくらいに分けられるんだと思う。

ひとつは、疎外感。あるいは孤独感。誰といても、ひとり。自分だけがちがってしまっているという感覚。

それから、空虚感。なにをしても空しくて、なにをしてもムダという思い。

そして切迫感。いますぐに、なんとかしなければ、という病的なこだわりや、あせり。

こういういくつもの痛みが起きては少しだけ消え、消えてははげしくぶり返す。あたしたちのこころの中は、いつもそんなふうだ。

また、そんなふうに感じているのは、世界の中で自分だけだと思っていたりする。こどものころのつらい体験は、誰にも話すことも、けっしてだれか

と共有することなんてできない、自分だけの特別で特殊な体験だと、仲間の全員が思っている。あたしもそうだった。

☾

でも、ハウスでミーティングをしていくうちに、自分が体験したことは、世界でいちばんつらい、自分ひとりだけのものにかわりはないけれど、不思議なことに、仲間にも同じようなことが起きていて、どこかで自分でつながっている、と感じる気がしてくる。

だれかが、「自分だけのつらい体験」を話すと、不思議とそれを聞いている人は「ああ、わたしとおんなじだ」って学ぶことができるんだ。だから、私の話がみんなのためになる、と感じることができる。自分が抱えている死んでしまいたいような体験が、仲間にとっての意味のある体験に変わる。

ハウスにやってくる仲間たちの多くは、いろいろな苦しさを抱えてきた。十代後半や二十代前半でダルクをたずねてきて、そのあとしばらくして刑務所に入ってしまう子も少なくない。出たり入ったりをくり返す子もいる。

　あたしは、ここを立ち上げてから二十年近くのあいだ、犯罪は犯罪だから、やっぱりあたしたちは悪いんだ、ってどこかでずっと思ってきたところがある。そして、暴力を生き抜いてきた人の近くにいるととてもこわくなることがある。権力のような大きなものに、あたしもいつかまた叩かれるんだろうと思い、そういう大きな力に対して、とてもおびえてしまう。だから、話を聞いていたり、あたしたちの話を誰かに話したりしていると、なにかとても悪いことが、そのうち自分の身におきるような気がすることもあった。

　でも、ここ数年、さまざまなミーティングや、たくさんの人たちとの出会いをとおして、あたしの思いは少しずつ変わってきた。

　外から見れば、多くのことが〈犯罪〉にはちがいない。でも、みんなこれまで、一生懸命、死なないように、必死で生きのびようとしてそれぞれの道を歩いてきた、そのプロセスでもあったんだって。

そう思えてしかたがないんだよね。
凛ちゃんも、あたりちゃんも、そしてあたしも。
ここには出てこないけれど、あたしたちの仲間たち、みんな。

こどものときに、守られたかったことってなんだろう？　あたしの仲間たちには、こどものときに、どんなことが起きていたというのだろう。自分がダメな人間で、だから傷つけていいんだと思い、傷ついていることすら感じなくなり、まわりの人たちがおびえてしまうようなことをしでかしてしまうようになったのは、なぜなんだろう。
あたしたちの仲間にとって、ほんとうに必要なことって、なんだろう。

II　あたしたちに必要なこと

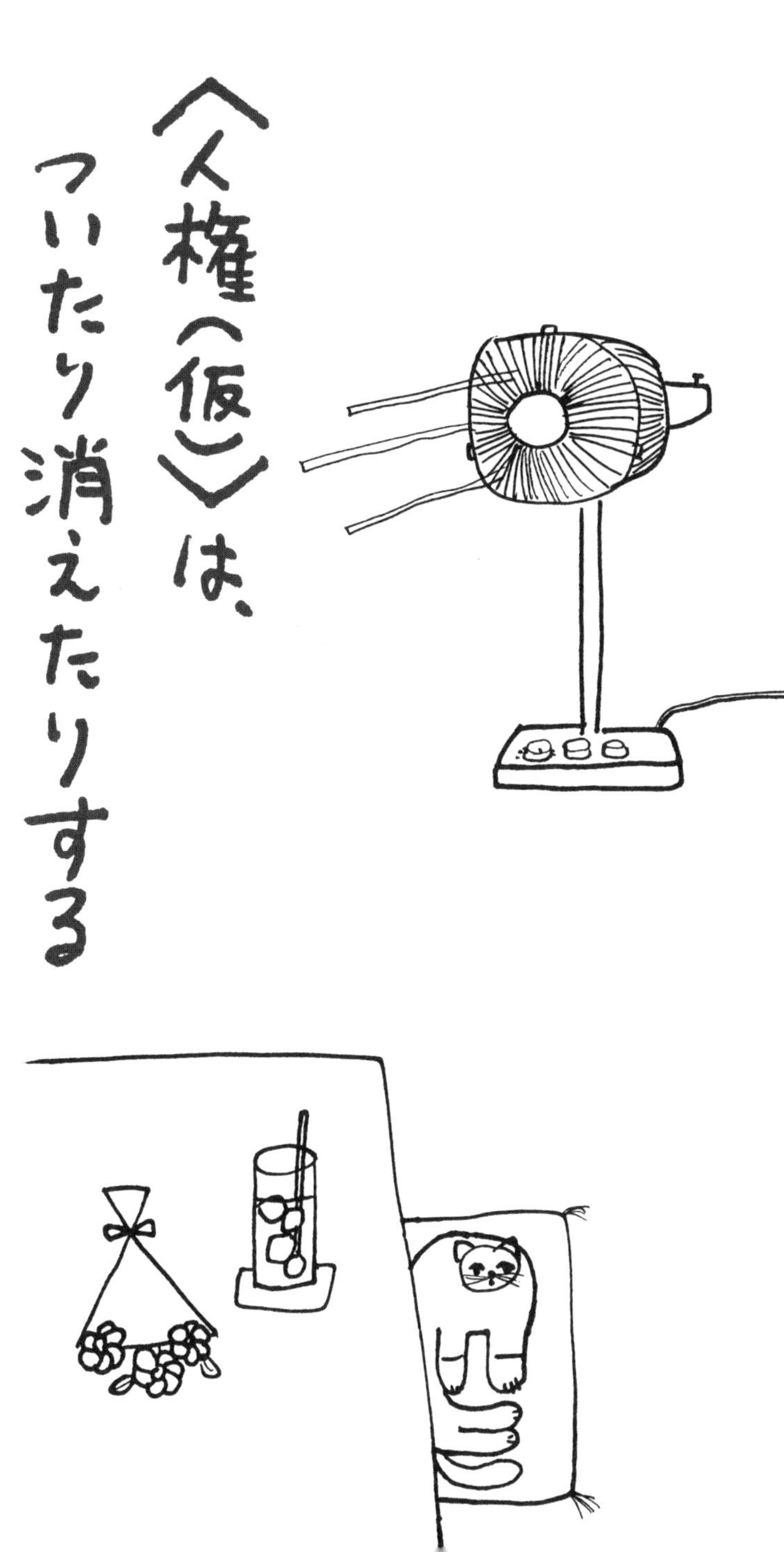
〈人権（仮）〉は、
ついたり消えたりする

〈人権（仮）〉の研究

この本の最初のほうで、仲間との当事者ミーティングのようすをいくつか紹介したけれど、じつはこういったもののほかに、あたしたちはここ一、二年のあいだ、なんと、

〈人権（仮）〉


というものをテーマにしたミーティングを、ずっとつづけてきたの。

自分たちの思いや考えを、みんなであれこれ話しながら、まるで、自分たちのことを研究するみたいにね。

あとで話すけど、この「研究」をはじめるのには、直接的なきっかけがあった

んだ。

ところで、〈人権〉なんて、手あかがついたことばだと思う？　そう思うあなたは、もしかしてあたりまえのように、人権を持ってる人かもしれないね。それに、大きく出たわりには、なんでそのあとに小さく（仮）ってつくの？　と思ったりするでしょう？　なんというかね、こういうことばって、あたしたちにとってはあたりまえのように使えないもののような気がするからなの。

それはどうしてなんだろう。

まずひとつ。

仲間たちの多くが、学校でも家でも、とてもつらい思いをしてきたっていう話を、いままでしてきたよね。学校でのはげしいいじめとか、家の中の暴力とか。小さいころから安全でこころ許せる場所、安心できる居場所がどこにもなかった。いつもいつも緊張していたり、どこかに逃げたかったり、こころがからだから抜けてしまったりしてた。

あたしたちがこの「研究」をはじめたころ、仲間のひとりがこう言ったの。

「社会の授業で「基本的人権」っていうことばを学んだけど、ぜんぜん実感がなかった。学校でも家でも、私にはそんなものはないんだ、としか思えなかったから」。

みんなが共感した。学校で習うことや、世の中で正しいと言われること、つまりみんながあたりまえだと思っていることと、あたしたちの現実とのあいだには、大きなへだたりや矛盾があった。それを仲間たちは小さいころから身に染みて感じてきたということ。

そしてもうひとつ。そんなあたしたちが生きのびるために必死にたどりついたのは、薬物をはじめ、アルコールや拒食や過食などの摂食障害、それから、この本ではあまり語られていないけれど、ギャンブルや買い物などへの〈依存〉だった、ということ。そんなあたしたちを、世の中はどんな目で見るか。ヤク中、アル中はとりわけ、人間あつかいされないよね。自分が弱かったからそんなことになったんだ、と自分自身を責めつつ、そのたびに、あたしたちはとてもみじめな気持ちになる。

治療、それとも自首ですか？

日本の社会では、依存症は本人の意志ややる気ではどうにもできない病気なんだっていうことは、いまだ理解されていない。たとえば、薬物防止キャンペーン用の〈ダメ。絶対。〉〈クスリやめますか？　それとも人間やめますか？〉などの標語は、多くの人に「薬物＝犯罪」っていう印象だけを与えて、薬物依存という「病気」の側面を切り落としまう。そもそもそれらの文句は、依存症の人間にとってはなんの効果もないばかりか、かえって逆効果なんだって、あたしたちはわかってもいる。

また、薬物やアルコール依存の治療を行う専門家はいないことはないけれど、患者を受け入れる病院は、全国でも数えるほどしかない。それ以外の病院では、治療じたいが拒否されることが多いんだ。

ごくまれ〜に、理解あるお医者さんに出会えれば、「治療しましょうね」とか言ってもらえるけど、ほとんどの医者からは、「覚せい剤？　犯罪だから早く自

首しなさい」とか、「やめようと思えばやめられるんじゃないの？」、「意志が弱いだけなんじゃないの。あなた、こどももいるんでしょ？」なんて言われてしまうのが、お決まりのパターンだ。

こころもからだもボロボロで、仕事をすることがむずかしくて、重いからだを引きずりながら、なんとか生活保護を申請しようと役所に行けば、「酒やクスリやってなまけてきたんでしょう、人間として恥ずかしくないんですか？」、「気持ちしだいでしょ。すぐ働きなさいよ」とくる。

「依存症の治療はあなたの権利です。まずは治療が先決です」と言われて生活保護が下りるなんて、まずめずらしいことだ。

それは、遠い遠いかなたにある

そんないっぽうで、ハウスにちょくちょく来てくれて、ミーティングに参加したり、いろいろと手伝ってくれる刑事法の研究者の話を聞いていると、自分たちが全部悪いわけではないのかも、あたしたちもじつは被害者なのかも、そして自分たちにも、最低限の〈人権（仮）〉みたいなものがあるのかも、と思えてくるときもある。でも、少し時間がたつと、そんな気持ちや淡い期待は、すぐに薄れてきてしまう。

ようするに、あたしたちには、自分が大事にされたり、自分を大事にすることへの根深いなじめなさのようなものがある。だから、世の中と自分へのうしろめたさのようなものをつねに抱えてしまい、結果、「権利」なんてとてもじゃないけど主張できるわけないじゃん……って思ってしまう、ってことなんだ。

〈人権〉ということばは、そんなあたしたちにとって、遠い遠いかなたにあるようなものに、どうしても感じてしまうというわけ。このことばのあとに、カッコ仮、とつけてしまうのは、こんな理由があるからなんだ。

「ある日のミーティング⑤」（33ページ）の中に、「私たちも選挙なんてできるの？私たちが人を選ぶ、なんてことができるの？」っていうのがあったよね。不思

議に思うかもしれないけれど、じつはこれも、多くの仲間たちの正直な気持ちだというわけ。

ちょっと遠回りしちゃったけれど、そもそも私たちが〈人権（仮）〉について話し合おうと思ったのには、いま話したようなつね日ごろのあたしたちの思い以外に、大きなきっかけがあったの。

数年前のあるとき、ヨーロッパの「OSI」（OPEN SOCIETY INSTITUTE）っていう人権団体が、日本の薬物問題対策を調査しに、私たちの関連の施設「アパリ」（アジア太平洋地域アディクション研究所）を訪ねてきたんだ。

かれらによると、いま、世界の薬物問題対策は、カナダ、オーストラリア、ニュージーランド、オランダなど、ヨーロッパのいくつかの国に見られるように、薬物依存を、まず個人の問題として考えるのではなく、コントロールがきかない病気の問題と考えるところから出発するんだ、と。だから相談を充実させて生活をサポートするなど、薬物を使わないですむ具体的な方法を考えていく、そういう方向に進んでいるんだ、って言う。にもかかわらず、日本の場合はそれとは逆の方向に進んでいると彼らは言うの。日本は、国際会議などの場で、「わが国における薬物問題は、「きびしい罰」を与えることによってうまくコントロールされている」って公言しているんだって。

で、ほんとうのところはどうなのか？　ということで、その団体ははるばる調査にやってきたというわけなんだけれど、その「ほんとうのところ」を調査していた彼らは、びっくりおどろいたのよ。

つまり、日本では、まず薬物依存症の治療がきわめて不足しているという事実がある。そのいっぽうで、覚せい剤の単純使用の初犯者には、懲役一年六か月、執行猶予三年が言いわたされ、そのまま釈放されるけれど、執行猶予中の再犯の場合には、懲役一年六か月の実刑に加え、前回の一年六か月の執行猶予が取り消されるため、はじめて行く懲役の刑期は、三年にもなる。刑務所から出てきた人の再犯の場合は、さらに判決は重くなって、一回の覚せい剤使用で三年から四年の判決を言いわたされる場合もある。そして、終始、もちろん、刑務所にいるあ

いだも、治療はなされない……。
そういった日本の現状に、彼らは仰天したの。
で、そのあとは、こんどはあたしたちが仰天した。
OSIの人がその事実に対して、こう言ったからなの。
「それは人権の侵害ではないか？　なぜ誰も裁判所に訴えないのか？」
え？　なに？
あたしたちが裁判所に訴える、って？
訴えられるのは、あたしたちなんじゃないの？

そのあと、胸の鼓動をおさえつつ、みんなでOSIのホームページをのぞいてみたら、こんなことも書いてあって、またまたびっくり。
「一番たいせつなのは、薬物依存症は病気であるということを、社会的に徹底的に教育すること。二番めに、女性たちが相談窓口に行ったときに、いやな思いをしないように、教育・福祉・医療・司法など関係者の教育を徹底すること」。

うわーウソみたい！　こんなふうにはっきり言ってる人たちがいるんだ……

ＯＳＩの人たちのことばのかずかずに励まされるようにして、そしてときどきそれを思い出しながら、〈人権（仮）〉についてのあたしたちの「研究」は、そろそろと二年ものあいだ、地道につづいてきたというわけ。

真正面から「ください」と言う

ところで、あたしがこころの中でずっと思ってきたことがある。

自分の苦しさから逃げる。そのためにクスリを使う。「クスリを使って逃げました」「クスリを使って生きのびてきました」というのは、まちがいないことだと思う。じゃあ、あたしたちって、これからもクスリを使って生きのびていくしかないの？――仲間はみんな、ほかの方法をさがしたい、と思っている。

それからあたしたちは、安心感や信頼感……多くの人たちがこどものころから

ふつうに持っているものを、ほとんどなんにも持っていなかった。それも事実だ。そしてそんな不公平感は、ほおっておくとはげしいうらみへと転じたり、すべてに対するあきらめになったりする。じゃあ、これからもうらみだらけ、あきらめだらけで生きていきたい?——そんなことない、と仲間たちはこころの底で、みんな思っている。

それに、あたしがいちばんいやなのは、うらみの気持ちや、しかえししてやりたい! っていう気持ちから、「あたしたちはみんなが持っているものをなんにも持っていなかった。だから裏側から、べつのかたちでなにかをうばいとってやる! どうせ犯罪者なんだから、そのくらいしたって、いいじゃん!!」って思ってしまうこと。

ね、それはやめようよ。いま本当に必要なら、必要なことを、ズバリ、真正面から「ください!」と言ってみない? ね、そう言わなくっちゃ……。

〈人権(仮)〉の研究は、そのための研究でもあったんだ。

あたしたちの研究は、みどり、あたり、凛、それからあたし上岡の四人を中心に、不法薬物への依存経験者で、裁判での執行猶予、少年院（鑑別所）、刑務所への入院、入所経験がある仲間たちによって行われた。ほとんどの仲間が、小さいときから暴力を受けつづけながら生きのびてきたメンバーなんだけれど、いままでにも話してきたように、自分が悪かったから暴力を受けたんじゃないか、自分が弱かったから薬物を使ってしまったんだ、ってこころの中で自分をずっと責めつづけてきた経緯がある。

だから、いまここでこういうふうにこういうことを書いているだけでも、つまり、「犯罪者」が、いくら「カッコ仮」とかつけたとしたって、〈人権〉の研究なんて……なにかいけないことをしているんじゃないかとか、社会的にバッシングされて抹殺されてしまうのではないかとか、あたしはものすごく不安になってきてしまう。

ダルクの男性スタッフの中には〈人権〉や「権利」を正々堂々と主張できる人もいるけれど、あたしたちにはなかなか、それができない。

ポン・デ・リングの法則

でも、がんばるぞ。

〈人権（仮）〉だ。

……そう言ったそばから、そんなものは、あたしたちに、ほんとうにあるのかな？　弱腰になる。

もしも「人権」（仮）の灯りが、仮に今後、あたしたちの目の前に一瞬ともったように見えたとしても、ほんのわずか、たとえば数ミリなにかが動いただけで、また一瞬にして消えてしまうような、蜃気楼みたいにふたしかなものなんじゃないのかな……。

仲間と話しているうちにわかってきた、そんなふうにいつまでも弱腰で落ち着かない感覚は、いったいどこからくるのだろう？　そもそも、そんなあたしたちと、あたしたちのまわりって、じっさい、どんな関係になっているんだろう？

まずはそんなことについて、みんなで知恵を出し合いながら、119ページにあるような図（あたりちゃん：画）にしてみた。

あたしたちは、図1を、同じようなかたちをしたドーナッツにちなんで、勝手に「ポン・デ・リングの法則」と呼んでみた。

いちばん左にあるイガイガマークが、ハウスにつながる以前の、どこからも切り離された状態のあたしたちひとりひとり。そこからハウスにつながると、社会（大きな楕円）の外周部分には、ほかにも（囲みの中にあるような）いろいろな支援団体があることをはじめて知ることができて、さらに、あたしたちを助けてくれるそういういくつもの支援の輪＝リングは、図のようにわずかな接点で、おたがいが、ギリギリつながっていることがわかる。

ね、「ポン・デ・リング」に似てるでしょ？

でも、あたしたちの出会うそれらの支援団体って、なぜ外周部分、あくまで社会のはじっこ＝エッジ部分にあるんだろう。

あたしたちを支援していると、あたしたちと同じように、社会のエッジに立たざるを得なくなる、というわけなのか。あるいは最初からそういう位置づけなのか。卵が先かニワトリが先か……誰が決めたんだろうね。ともかく、むずかしいことばでいえば、社会の中心部分から、支援団体もまた「疎外」されちゃうことが多いの。

いずれにしても、そうやって社会から疎外されたまま、一生懸命に支援活動をする支援者の人たちは、あまりにしんどいケースに日々対応しつづけていると、ときに、「燃え尽き」てしまうの。逆に、燃え尽きまいとして目の前のいくつかの問題を無視したりすると、こんどは不全感にさいなまれたりする。どちらにしてもしんどくなっていっちゃうんだよ。むずかしい問題だけれど、ほんとうは支援する側にも支援が必要なんだよね。

さて、話をもどします。なんとか、社会のエッジまでたどりついたあたしたちは、ひとまずそこで安定し、つぎにはじりじりとエッジ部分を脱出して、少しず

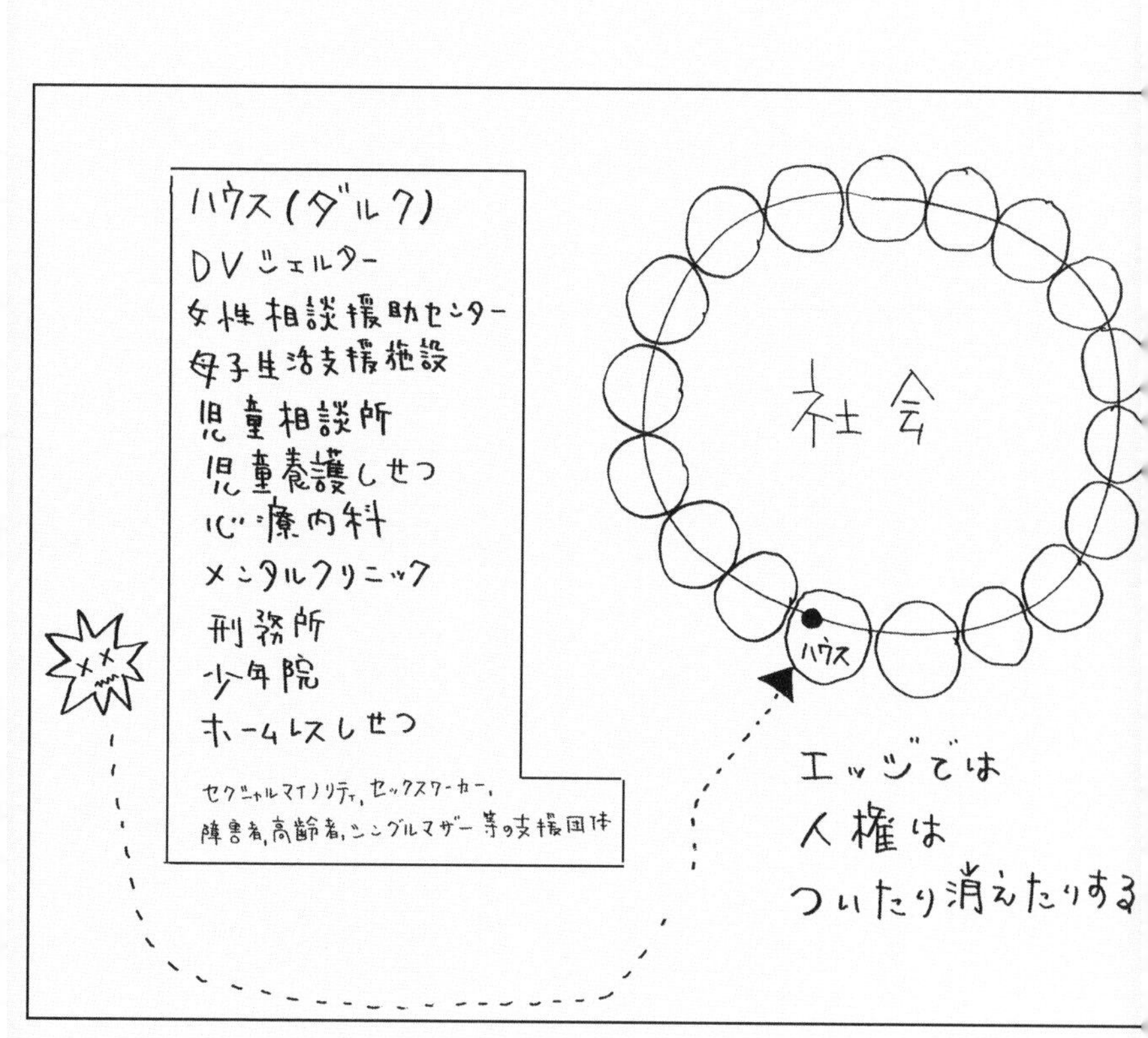

図１　社会と人権のイメージ

つ「社会」の中心方向へと向かっていけるものなのでしょうか？

☽

残念ながら、なかなかそうはいかないんだ。

ときにはあたしたちも（リングの中の黒丸がコロコロと移動するようにして）リングの中の、より社会の中心に近い内側のところにいられるようなこともなくはない。そんな位置にいれば、「人権」の灯りが少しはとどくことがある。でも逆に、とつぜん、リングの中心よりかぎりなく外側にいってしまうこともある。外側にいけばいくほど、灯りはうすーくなってきて、いまにも消え入りそうに感じられる。それでもどこかがリング内にひっかかっていればいいけれど、リングから完全に外側に落ちていってしまったとき、それは社会の外側に落ちてしまうことになる。それは一般的には、「犯罪」と呼ばれたり、自傷、他害と呼ばれることもある。落ちてしまったとき、落ちかかっているとき、もう死んじゃうかもしれない……などとあたしたちは思ってもいる。そしてここには、ご想像のとおり、〈人権（仮）〉の灯りがとどくことも、ともることもない。

こんなふうにして、社会のエッジ周辺では、〈人権（仮）〉はつねについたり消えたりする、ということ。

反対に、つねに人権のあたたかな灯りに照らされているのは、外周の小さなリングより内側だ。そして、社会の中心にいけばいくほど、人権の灯りは、明るい。そこにはきっと、カッコ仮なしで「人権」を主張できる（あるいは主張するまでもなく、それが保証されている）人たちばかりがいるんだろうと、あたしたちは想像した。


こんなふうにみんなで考えていて、ふと思ったことがある。

あたしたちみたいに依存症をもっていない、つまり、社会の中心に近いところにいる人たち、「人権」をいついかなるときでも持っていそうな人でも、なにかの拍子に中心からエッジへと近づくことが、ときにあるんじゃないかってこと。

もちろん、なんの事件にも事故にも出会わず、けがも病気もせず、なんの問題もなく社会の中心部分で一生しあわせに生きていく人もいるだろうけれど、人生は意外とわからないもの。だからあたしたちのこの研究は、あたしたちにとって

＜人権（仮）＞は、ついたり消えたりする

だけではなくて、どこかでいつか、もう少し多くの人に役立つかも……知れない（ほんとかな？）。

それからもうひとつ、身体障害をもつ友人が、以前になにげなく話していたことを思い出した。「障害者はいつだって蚊帳の外におかれてるからね」。彼の言う「蚊帳」とは、あたしたちがいま言っている「社会」と言いかえられるように思った。もちろん彼の言う「蚊帳の外」には、あたしたちとちがって「犯罪」っていう要素はないわけだけれどね。

「日常」という崖

つづいて図2は、「人権」の灯りがともりっぱなしの「社会」とあたしたちのあいだの距離関係を、よりビジュアルを強化してイメージしたものだ。

あたしたちの仲間の多くは、さまざまな暴力や虐待、いじめなどにあって、説

図2　世の中のイメージ

明しがたい困難に出会ってきた。そういうことがつねに起きていると、「ふつう」＝「日常」というものがなくなってしまう（図の左下がふだんの状態）。

　そんなあたしたちにとって、あたりまえの「日常」を取りもどそうとするのは、けわしい崖を必死でよじのぼろうとすることに、似ている。

　で、苦労して崖をよじのぼってみると、そこは、深い森になっている。もちろんもっと歩いていけば、林や広場に出るんだけれど、身についたおびえの習性から、目立たないように目立たないようにと、なかなか森から出られなかったり、少し出てみたとしても、すぐまた森の中にかくれてしまう、ということをくり返す。森の中でも、気持ちが休まることはない。

　でも、そんな深い森の中にも、ところどころに、ちょっとした〈空き地〉のようなものがある。女性相談援助センターとか、ＤＶシェルター（暴力から一時的に避難できる安全な場所）などの支援団体や、心療内科やメンタルクリニック、精神病院などが、それにあたるの。

　そこで得られる情報や治療、そして親切なケアとかが、その後のあたしたちの道しるべになるはずなんだけれど、自分が暴力を受けてきたために、それをそのまま素直に受け取ることは、なかなかむずかしいんだよね。「どうせ利用するんだろう」「助けてもらえるなずない」「信じられない」とか思ってしまう。つねにおびえながら、なんとか自分を守らなくては、という、長い年月にわたってからだに染みついた習性から、入念に武装してしまうということでもあります。

仲間たちがかつて、暴力を受けたとき、受けているとき、その直後になにかしらのサポートを受けていたことがあるなら、そんなケアに対して、またちがった反応ができるのかもしれないと思う。でも、気持ちやからだのダメージを誰にも気づかれずにきた人、あたりまえの生活や安定した日常そのものが奪われたままきた人たちは、他人の親切にとても慣れていないの。そして、自分の気持ちを言いあらわしたり、助けをもとめることばを失っている場合が多いの。だからときとして、味方であるはずの人を逆に攻撃する、という防衛に出ることすらある。ようするに、どうしたらいいのかが、わからないんだ。困ったもんだよね。

でも、当の本人だって、じつはとっても困ってる。とっても苦しいんだ。でも、

森の中にいれば、そんな自分のふるまいがあまり目立たない。だから、なかなか森から出ていけない。

そうはいっても、森でしばらく暮らすと、たまには林をぬけて、こわごわと広場（＝社会）に出ていってみることもある。でもそこは、とってもまぶしい場所に感じられるの。みんな家族がいたり、仕事があったり、恋人がいたりする、そんな環境だからね。だからそこにいると落ち着かなくなって、また森へと帰ってしまう。

ところが、森には、さっき話したように〈空き地〉もあるかわりに、〈落とし穴〉もある。森へ帰ってくると、大きな口をあけてあたしたちを待っている落とし穴に落っこちてしまうこともある。その落とし穴は、一般的に「刑務所」と呼ばれるところだって、みんなは言っているんだ。

いごこちの悪さ、いたたまれなさ

そしてあたしたちは、そんな森と林のあいだにハウスがある、と思っているんだ。みんなはやがて森とハウスを行ったりきたりするようになって、ハウスにある程度定着するようになると、こんどはハウスと林のあいだをいったりきたりするようになるんだと思う。

林の先にある広場は、薬物やアルコールへの依存、ギャンブルへの依存、関係性への依存、そして摂食障害や自傷行為などとは無縁な、そして、人権の灯りが四六時中、あたたかくともる「社会」……（ちょっと思い込みすぎかな？　でもあたしたちにはそう見える）。

手さぐりで、おそるおそる、あたしたちはこれらのあいだをいったりきたりしながら、少しずつ、少しずつ、広場＝社会＝世の中、に慣れていこうとするんだけれど、いごこちの悪さやいたたまれなさを感じやすくて、けっきょくまた森へともどってしまうことも多いんだ。

こういうふうに、崖の下から上を見上げても、森の中から広場を遠くに眺めても、〈人権（仮）〉は、とても高く、とても遠いところにあって、とうていあたしたちの手の届くところにあるとは思えない。「広場にいるあのふつうの人たちはみんな、〈人権（仮）〉を持っているのに……」と思ってしまうんだよね。

こころが抜ける

ごくふつうの健康な家族や家庭の中で育った人にとって、〈人権（仮）〉っていうのは、考えるまでもない、あたりまえのものだよね。あたしたちのようにわざわざカッコ仮、なんてしないと落ち着かない、なんてことはないだろう。

ダルク女性ハウスにやってくる薬物依存症女性の85パーセントは、児童虐待やDVなどの暴力の被害者だ。虐待やDVにもいろいろなケースがある。身内の人から長期間にわたって受けた場合、家族がそれを受けるのを、間近に見せられる場合、監禁された場合や連れ去られた場合……。そしてその後に誰かが手当てをしてくれたのかどうか、なにかサポートを受けられたのかどうかによっても、それぞれの傷の深さや性質がちがってくる。

それだけじゃなく、家族や近い親戚の中に薬物やアルコール依存症の人がいたり、精神障害や疾病があったり、早くして誰か身近な人を亡くしていたり、両親が離婚していたりと、複雑な家庭環境をもつ人が、ハウスには少なくない。そういう中に育つと、自分が守られているとか、自分はだいじょうぶなんだ、という実感をもつことがとてもむずかしくなることが多い。

家に帰ると親に殴られたり、冷たい緊張感がはりつめていたりする。親にはげしい暴力を受けながら、おまえみたいなやつはどこに行っても生きていけないぞ、うちだから生きて行かれるんだぞと言われつづけて育った人もいる。そうすると、家の外もこわくて、だれにもたよれなくなるよね？　たとえば学校なんかでは、困ったら保健室やスクールカウンセラーのところへ行けばよい、と先生か

らもっともらしく言われても、そんなことしたら目立ってしまうし、そもそもとてもじゃないけどこわくて行けるわけない、とか、ああいうところはいい子が行くところで、自分みたいな子は行ってはいけないんだと思ってた、っていう仲間もいる。それ以前に、学校の先生からも友だちからもひどいあつかいを受けていたりすることもあるしね。

また、自分の家族はほかの子たちとちがう、どこかへんだ、ということがなんとなくわかってもいるから、最初から安心して友だちづきあいができなかった、という仲間も多いんだ。

さっきも話したけれど、道徳(どうとく)や〈人権(仮)〉についての授業がいちばんつらかった、と多くの仲間が言う。

自分の家でおきていることと、「暴力はいけません」と、学校や世間で教えられることとのギャップを、誰にも話せない。そして自分の身のまわりには、まるでなんの問題もないかのようにふるまいながら、たくさんの葛藤(かっとう)を、ひとりで抱(かか)え込んでしまうんだ。

そうして、こころが解離していく。つまり、こころがからだから、そして自分自身から抜けてしまっている状態になる。とってもつらいことだ。

大切にされた回数

こどもとして守られた、という経験の蓄積がなければ、「信頼」や「安全」、まして〈人権（仮）〉ということばを、リアリティをもって理解することや感覚としてわかることは、とてもむずかしいんじゃないかと、あたしたちは、今回の「研究」の中で話し合った。そういうことばにどれだけリアリティがあるのかは、自分が大切にされた回数とも関係あるんじゃないかという意見も出た。与えられたモノの量とは関係ないよね、という発言もあった。

そういえば、あるとき、ある相談員から「その人のためになるよう、一生懸命

支援の計画をたてたのに、ものすごい怒りをぶつけられたことがある。なぜなんでしょう？」と聞かれたことがある。

……なぜなんでしょう？

さっきも話したけれど、人から守られた経験が少ない人間からすれば、人のことを信用するのは、とてもむずかしいからだ。しかも自分がなにひとつ提供していないのに、そんな相手から、あなたを守ってあげる、助けてあげるなど、とつぜん言われても、どう対応していいのかわからない。それにのったら最後、どんなひどい目にあうのだろう、とすら、思ってしまう。ここは安全な場所だとか、だから信頼してくださいということばが、かえって危険なことばに聞こえてしまって、ついぞ、攻撃的な態度をとってしまうんだよね。

「なんか、裏表があるような気がしてよけい信用できなくなる。殴ったり蹴ったり、「バカ」とか「キモい」とか言ってくる人間が本物で、なんかニコニコして「あなたは大事」なんて言われちゃうと、絶対ウソだ、裏があるはずと思っちゃう。相手の見ている私のすがたはちがうって。だからいつ切り捨てられるかわからない。ケチョンケチョンにやってくれる人は、私のへんてこな部分をわかってくれてるから」。家で性虐待を受け、学校ではイジメを受けつづけた仲間の話だ。

生きのびるための犯罪(みち)

ハウスにやってくる仲間たちの大半は、いままでに話したように、複雑な家庭環境で育ってきている。小さいときから大きな困難(こんなん)を背負わされているのに、まわりのおとなたちの誰ひとりとして、気づくことがなかった。

そもそもが、勉強に集中できる環境なんかじゃなかったから、授業にもついていけず、小学校のどこかの時点で教育がとぎれてしまったり、ふつうの生活のしかたや、世の中で「常識」とされることをよく知らなかったり、人間関係の持ちかたや、人を信頼する、ということがどういうことなのか、見当(けんとう)もつかなかったりする。

ダルク女性ハウスをはじめてから二十年、あたしはこういう仲間と何人も出会ってきた。そしてその多くは、すでに「犯罪者」だった。彼女たちは、生きていく上での耐えがたい苦しさや痛みを抑えるために、薬物を必要としてきた。仲間たちにとっては、ともかくそれは生きのびるための手段だったのだけれど、そのことはなかなか理解されることはない。

葛藤と叫びと

ところで、なぜ、暴力の「被害者」が、生きのびるためとはいえ、いつの間に「加害者」や「犯罪者」になってしまうのか。きっと、不思議に思うよね。暴力などを受ければ、そして受けつづければ、たえまのない痛みがあるのは想像できるでしょう？　ケアをしてくれる人も近くにいない。からだの痛みはさらにつづく。薬物は、そんなからだの痛みを一瞬、消してくれる。

それだけじゃない。暴力は、こころの傷となって、それを受けた人間に、PTSD（心的外傷後ストレス障害）を発症させたりする。そうすると、なにかのきっかけで暴力を受けたときの恐怖をリアルに思い出したり、とつぜんはげしい怒りがわいたり、その逆に、感覚を失ってしまったり、暴力を受けたのは自分が悪いせいなんじゃないかと自分を責めたりと、とても複雑な葛藤をこころの中に抱えてしまうことになる。そして、そんな恐怖や葛藤からくるこころの痛みを忘れたい、もうなにも考えたくない、感じたくないと思うために、薬物を使ってしまうんだ。

もちろん、なにも考えなくなるのはおそろしいことだ。

黙って助けてくれそうな男性にあとさき考えないでついていってしまったり、薬物を買うお金が必要になって、未成年のうちに風俗で働いたり、生活に困って窃盗を働いてしまったりすることもある。ときに薬物を売ったりする側に回ることもある。そうして気がついたときには、被害者からあっというまに犯罪者になり、加害者になってしまう、というわけだ。

そんな中で、自分を苦しめたもの、苦しめてきたものに対して、「いつか仕返ししてやる」と、心の中に怒りをふつふつとためている仲間もいなくはない。同時に、自分がいままで得られなかったものを取り返したい！　という思いを持っていたりする。でもそれはもう、簡単にはかないそうにない。そうすると、さっきも話したように、ついつい「裏からでも取り返してやる！」「いまからでも少しでもいい目を見てやる！」と思ってしまいがちなんだ。「どうせ犯罪者だから。ちょっとずるくやってなにが悪いの⁉」とか思いながらね。

気持ちはわからなくもないけど、でもさ、ここはやっぱり、正面からいければ、本当はいいはずじゃん……。

あたしたちに必要なこと

あたしたちには、ほんとうはなにが必要だったんだろう。どんな助けがあったらよかったのだろう。

あたしもふくめて、仲間たちのこころの中にあるいろいろな葛藤や思いを、当事者ミーティングで少しずつみんなでていねいに分かち合っていくと、その中からいろんなことが見えてくるんだ。今回の「研究」でもそうだった。あたしたちに必要なのは、どんなことなのか、あたしたちが持ってないかも……って思っている〈人権(仮)〉って、どんなものなのかも、うっすらと少しずつ、見えてくる。

その中で、とりわけ大切だと思うこと、あたしたちにとってとくに必要だと思うことを、あらためてみんなでまとめてみた。

まず、つぎのページにあるように、刑務所や少年院に「あったらよかったのにな」と思うプログラムについて。

それから、それ以降のあたしたちに必要なのはなにかということ。おおよそつぎのような三つのことにまとめられるんじゃないかと、あたしたちは考えた。

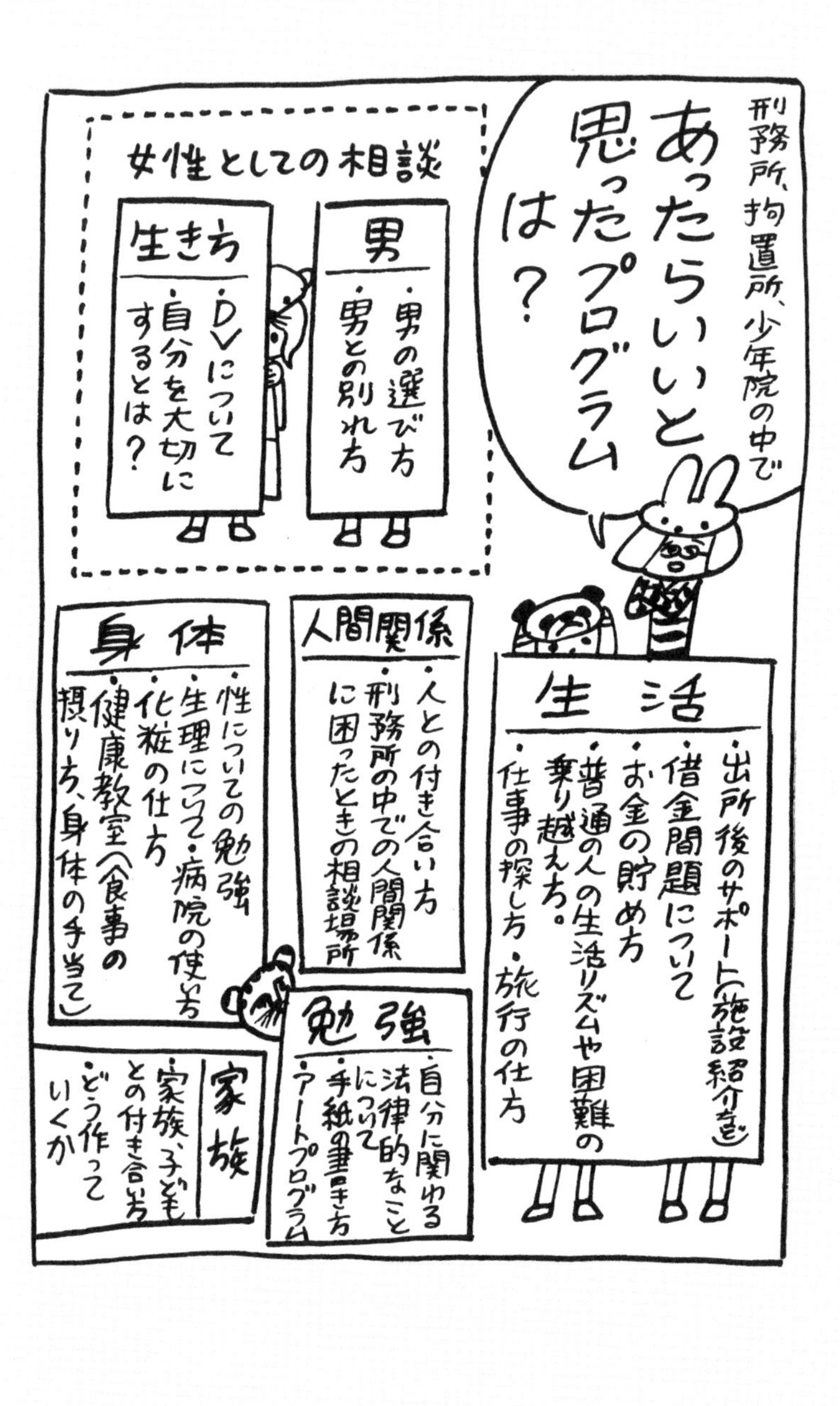

刑務所、拘置所、少年院の中で
あったらいいと思ったプログラムは？
女性としての相談
男
・男の選び方
・男との別れ方
生き方
・DVについて
・自分を大切にするとは？
生活
・出所後のサポート（施設紹介など）
・借金問題について
・お金の貯め方
・普通の人の生活リズムや困難の乗り越え方。
・仕事の探し方・旅行の仕方
人間関係
・人との付き合い方
・刑務所の中での人間関係に困ったときの相談場所
身体
・性についての勉強
・生理について・病院の使い方
・化粧の仕方
・健康教室（食事の摂り方、身体の手当て）
勉強
・自分に関わる法律的なことについて
・手紙の書き方
・アートプログラム
家族
・家族、子どもとの付き合い方
・どう作っていくか

1 安全な場所と適切なケア

あたしたちに必要なことのまずひとつめは、安心できる場所とそこでの適切なケアだ。

刑務所や少年院を出たあと、いったいどこでどうやって暮らせばいいのか。働き先は、住まいがなくてはみつからないのではないか。住まいを確保するには、まとまったお金もいる。

しかし、とりわけ少女の場合など、安全な場所はいうにおよばず、帰るところじたいがない、という場合も多い。刑務所に入っているあいだや家出中に両親が離婚し、どちらもが再婚したりしていれば、そもそも帰る家を失ってしまうし。

そもそも、働くにも、住む家を探すにも、身元保証人がいない。関係がうまくいっていない親にはたのむこともできない。結果として、最初のうちは自分の話をよく聞いてくれはするが、けっきょくは売春をさせたり、暴力をふるうような男性のところに転がり込むことになりがちだ。

いどころの問題は、ほんとうに切実だ。

出所後、子育てをしなければならない場合もある。そんなさなかに夫からのDVを受け、逃げ出さなくてはならないこともある。子育ての中で、追いつめられた母親は、育児放棄や虐待へと結びつかざるを得なくなる場合もある。こういう場合、あきらかにすみやかな、そして継続的な支援が必要なのに、多くは誰にも気づかれず、そして誰からの支援も受けられず、事態が悪化する。

そうなったとき、なににたよるか。新しい方法を知らなければ、また同じ結果が待っている。

「安全な部屋がほしかった」。この思いは一生つづく。

「ポン・テ・リングの法則」のところ（119ページ）にもあったけれど、社会の中であたしたちを助けてくれるさまざまな支援団体や、ときには病院などは、あたしたちにとりあえず、一時的に安心な場所を提供してくれることもある。

でも、そんなたのみの綱は、一見、それぞれがしっかりとつながっているようにも見えるけれど、接点はじつは小さな点。本当はおたがいのつながりが、とてもうすい。いちばん必要なことが刻々と変化したり、複数の問題が一挙に起きて、同時に複数の支援が必要なことが多いあたしたちにとっては、とても使い勝手が悪いものでもある。毎回、最初からすべてを説明しなくてはいけないし、結局どれかひとつしか支援を受けられなかったりするからね。

窮地に陥っている場合、問題が複雑にからみあっていることが多いから、縦断的に、または横断的に、起きている問題を総合的にケアしてくれるシステムがあるといいなと思う。

支援団体だけではなく、医療、福祉、法律などの行政も同じ。「縦割り」っていうことばを聞いたことがある人もいると思うけれど、それぞれがバラバラに存在していて、おたがいのあいだのつながりがほとんどないの。ほんとうは、すべての問題が関連しあっているはずなんだけれどね。

②生活に関するノウハウ

あたしたちに必要もののふたつめは、基本的な生活に関するノウハウだ。食事のとりかたをふくめた生活リズム。（家族も含めた）人とのつきあい方。からだの手当のしかた。手紙の書きかた。仕事の探しかた。お金のためかた。化粧のしかた……。たくさんある。みんな必要で、みんな教えてほしい。

たとえばおなかが少し痛いとき。「おなかが冷えたんじゃないの？」って、家族やまわりの人から言われり、心配されたりした経験がある人は、きっと多いだろう。でも、あたしたちの仲間にはそんな経験がない。おなかをあたためるだけでよくなることがある、という「常識」や「知恵」を教わっていないから、すぐに薬を飲んでしまう。こどもが風邪をひいて学校を休むとき、連絡帳に、なにをどんなふうに書いたらいいのかを知らなくて、パニックになる。どの程度の化粧がふつうなのかわからず、やりすぎて周囲の人たちにぎょっとされる……。

生活の基本的な部分に継続的にかかわって、小さな生活の知恵を教えてくれる人や、そういうことを教わることができる場所が必要だ。

3 聞くことができる（質問することができる）関係性と場所

みっつめは、先のふたつめとも関係することだけど、あたしたちの仲間の大半は、小さなころからいろいろなことを学ぶ機会を失ってきたし、勉強ができなかったことにとても傷ついてきた。計算のしかたや、漢字のよみかた、ほかにもいろんなことを、恥ずかしい思いをしないで聞ける場所があれば、やり直すことができるんじゃないだろうか。「選挙」についても同じ（33ページ）。自然に社会参加ができるということは、そんなあたしたちにとって、とてもハードルが高いのだ。

わからないことを気軽に聞ける関係性（＝「教育」？）。おとなになってしまったあたしたちだけれど、いまからでも、そういう機会がたくさんほしい。

またあたしたちは、ハウスとの出会いによる様々な変化についても、整理してみた（次ページ）。こころの深いところにある葛藤は、すぐには消えないけれどね。

新しい生きかたとの葛藤

ぐるためにしてしまったこと、思いこんでいたこと

- お金なきゃダメ
- 女なのにスゴくないとダメ
- 学校をさぼる
- 妹をトンカチで殴る
- 火遊びする
- ブランド
- 誰もが振り向く女にならなきゃ
- やせていなきゃ
- ボーイフレンドがいっぱいいなきゃ
- 薬を使う
- 万引き
- 勉強大嫌い
- 怒らなきゃ
- きれいでいなきゃ
- いつもちやほやされていなきゃだめ
- エッチがうまくなきゃいけない

- 人と楽しめる
- 生活を楽しんでいい
- ゆっくりしてもいい
- お金なくてもいい
- 本が読めるようになった
- パパにたよらない
- ドジでもいい
- 相談してもだいじょうぶ
- 着かざらなくてもいい
- 自分の経験が役にたつのがわかった
- 人が好きになる
- やり直せる
- 12ステップ（薬物と向き合うこころがまえ）
- 男のいいなりにならなくていい
- 性別にこだわらなくていい
- 選挙に行っていい
- ひとりじゃない
- 太っててもいい
- 女の人と力を合わせて生きていく
- 安全や安心という感覚がわかるようになった
- ヤクザがかっこよく見えなくなってきた
- シラフで家の中にいられるようになった
- 生きていくと実りができていくのを知った

の出会い

新しい生きかた

ハウスとの出会いと

こどものころから困っていて、結果として生き

・パパがいないとダメ
・いい娘にいい妻じゃない
・勉強ができなきゃダメ
・いつも元気じゃなきゃいけない
・女じゃダメ
・仕事できなきゃ
・汚い女だ
・シミ、ニキビ、ホクロ、シワ・二段腹があっちゃいけない
・いいお母さんじゃない
・男がいなきゃいや
・家族と仲良くしなきゃ
・新しいことに出会うことがこわい気がする
・いい家に住まなきゃ

・つらい
・人が大嫌い
・殴られている
・本当はちがう自分
・さびしい
・お腹が痛い
・どならないで
・がまんしなきゃ
・人が信じられない
・助けてほしい!!
・ほかのこどもがうらやましい
・トンカチで殴らないで
・さびしいけどお金が友だちだった
・誰かかわりに家事をやって
・お母さんいない
・お母さんほしい
・お母さん重い
・お母さんを助けて
・すべてがイヤ、こわい
・友だちからお金とられた
・上を向けない
・おかしが食べたい
・すべてしたがわなくてはいけない
・家がつまらない
・友だちがつくれない
・学校でずっといじめられてる

こどものころから困っていたこと

ハウスと

たっぷりと、どうしても。

こころのなかにしまい込んだたくさんの気持ちを、ひとつずつこうしてことばにして、みんなで分かち合っていくうちに、あたしたちに必要なこと、そして新しい生きかたが少しずつ見えてくる。

こういう作業は、自分じしんのいままでを見つめることにも重なって、少しつらい気持ちになることのほうが多い。でも、こうしてみると、あたしたちが必要だったもの、いま、必要なもの、そしてこれから生きのびていくために必要なもの。それは、あたりまえの、人間としての権利、つまり、正々堂々ともとめていってもいいことなんじゃないか、と思えてくる。「じ・ん・け・ん・く・だ・さ・い」って言っても、ぜんぜんいいんじゃないかって、思えてくる。

☾

そして、あたしたちにとってのいのち綱（づな）、いちばん大切なのは——さまざまな施設や行政（ぎょうせい）からの継続的な支援や、病院などでの治療やカウンセリング、そしていままで話してきたように、生活の基本的なノウハウや知恵、わからないことを教えてもらえる関係性や場所も必要だし、とても大切なんだけれど――あたしたちが生きのびていくためのいちばんの心のよりどころになるのは、同じ経験や痛みを安心して分かち合える仲間と、そんな仲間たちといっしょにいられる場所がある、ということなんだ。そして、さまざまな助けを借りながら、自分より少し先に回復をはじめた仲間のすがたを身近に目にすることが、自分もまた、生き直すことができるんだ、という確信にもつながっていくの。

☆

そして、今回の「研究」のように、仲間とのことばを用いたミーティングもだいじだけれど、同時に、自分のからだをたしかめて、大切にいたわってあげることや、ひとりでいることも大切なことだと、あたしたちは考える。ストレッチや散歩、そしてよく眠ることとかね。

いうまでもなく、そうしてひとりで経験したささやかなことがらや、あいかわらずの失敗などを報告し合える仲間がいることが、あたしたちにはやっぱり、な

によりもかけがえのないことなの。

いままで、なんとか死なないできたんだもん。生きのびてきたんだもん。行きつもどりつ、仲間といっしょに、あたしたちがいままで必要だったこと、そして、いまを、これからを生きのびていくために必要なことを、ゆっくり、そしてたっぷりと、表から正々堂々と、みんなの手に取りもどしていきたい。どうしても。

いままであたしたちが、薬物やアルコールで、苦しさや痛みをしのいで、ひとりぼっちで必死に生きのびてきたことは、きっとほんとうのことだ。

だから、これからは、新しい生きかたを仲間といっしょにみつけていこう。

たくさんの人たちに、たっぷりと助けてもらっていい。

そうやって、またあたしたちは、これからを生きのびていこう。

それが、あたしたちの〈人権（仮）〉研究の、とりあえずの結論かな。

そしていつか、（仮）っていう小さな文字をはずせる日がくると、いいな。

「林」と「広場」のあいだから

川端(かわばた)知江(ともこ)

私は、「林」のなかにちいさなおうちを建てて、住み始めた。

ダルクを卒業して、仕事をしたり、学校に行ったり、地域(ちいき)のボランティア活動に参加したり。そんなふうに「林」と「広場」をいったりきたりしはじめると、「広場」で知り合って仲良くなった友だちが、じつは「林」の住民じゃん、てことが不思議と多いことに気づく。不登校やひきこもりの経験だったり、摂食障害や薬物使用の経験だったり、じつは……って話がなぜか出てくるんだよ。なので、あんなにまぶしくみえた広場にも、林の住民がけっこういることがわかってきて、なあんだ、広場あんまりこわくないじゃん、と（ときどきだけど）思うようになった。

と同時に、かれらにも語れない、森の記憶に悩むようになった。

たとえば、クスリとか入れ墨とか援交について、林の友だちでさえ、「テレビで言ってたこと」「まわりにはいない」みたいに話題にするときだ。彼らにとってはどこか遠くの知らないひとたちの話みたいだけど、私にとっては自分と仲間たちの話。ちょっとした世間話の悪意のないことばが、私にはちくりと刺さり積もっていく。私は身体の深いところまで降りていって慎重にことばを選んで話すから、とっても疲れる。

支援者として林へ来てくれるひとたちとも、友だちみたいになかよくなった。でも彼らは、時間がくれば広場の明るいおうちへ帰れるんだよな、とうらやましく思う。私に帰るところはない。森の記憶は身体の中にずうっとあって、のがれられない。

森の仲間たち（それはかつての、そしてもしかしたら未来の自分だ）を思いながら、広場の光のまぶしさに疲れて、カーテンを引いてフテ寝することもあった。

ともあれ、そんな私のうちを訪ねてきて、いっしょにお茶する友だちができた。ドキドキしちゃう素敵な人なんかも現れて、私の新しい暮らしは、五年くらいかけてようやく、たのしくなってきた。

その矢先だった。二〇一一年三月十一日、東日本大震災。

私はぎっくり腰で寝込んでいた自宅で、崩れ落ちて自分に向かって降りかかるものを呆然と見ていた。うちだけじゃない、ガラスや食器の割れる音と悲鳴がアパートじゅうに響いていた。近所の避難所で一夜を過ごした。避難所が閉鎖しても私にもどる家はなくて、帰る実家もなかった。お金もなくて、ぎっくり腰で働くこともできなくて、友人宅に荷物だけ預かってもらってアパートを引き払った。仕事も貯金もなく保証人もいない私は、つぎに住むところを借りることもできない。ハローワークに登録する住所はなく、生活保護の相談に行ったら「ホームレスになってから来て」と追い返された。

保険証をつくるには住民票が必要で、私には住民票がなかった。いっぽんの虫歯の治療で、最後の現金が底をついた。ハローワークに行く交通費、片道八百円は、もうなかった。

そんなことになってる人は、友だちのなかにも、だれもいなかった。「だから」、私はなにか大失敗をしでかしたんだ、と思った。こんなに困っているということが、恥ずかしくて誰にも言えない話になってしまった。

じつは、何年か前にハウスで〈人権〉の話をしてたときには、正直なところピンときていなかった。

〈人権〉は、たしかに私の育った家庭の中にはなかったけれど、社会にはきっとある。あの広場に出さえすれば、私はきっと守られるだろう。そう信じていた。おとなになった私はアル中になってヤク中になって森の中をさまよったけど、ダルクで助かったし、やれやれようやく広場に出られた、これからは私にも〈人権〉だ。そう思ってた。震災までは、ね。

震災までは、私は広場にいたよね？ 私もおなじ人間なんだ、って思えてたよね？ でも、〈人権〉ってこんなにも、あやういものなんだ…そう思い知ったときに、ハウスでみんなとしてた話を思い出した。〈人権〉は私たちにとって、ついたり消えたりするものだ、って話を。

「みっついっぺんになくした人をたすけるしくみは、この国にはないんだ」って、日雇いの工場の仕事へ向かう電車の中で、よく考えた。

「住むところ」「家族、実家」「仕事」「お金」「健康」のうち、なくすのがふたつくらいまではなんとかなる。でも、みっつ重なるともう自分では抜け出せない、なのにこの国に、みっつ重なった人を助けるしくみはない。ハウスの仲間たちみたいな暴力サバイバーは「家族」「健康」をそもそも失っていることが多いのに。

「この国に生きていてはいけない人間なんだ」。毎日そう思った。すると、からだから生きていく力が漏れていくんだ。わき腹に穴があいていて、エネルギーがどぼどぼこぼれてる感じがした。

そのころ、「家がないと人権はない」って、なんども思ったのを覚えてる。

私がくださいって言いたい〈人権〉って、なんだろう。

まず、信じてほしい（「テレビで言ってない」って…テレビより私を信じてくれないかな）。どうしたいかを私が判断して決められること（「そんな制度ありません」じゃなくてさ）。そして何よりも、数か月とか一年とか、なにかの事情で働けない、家賃払えない、疲れて混乱してしまったときに、しばらく居ていい「実家みたいなところ」。

〈人権〉は、困ったときに困ったと言えて、それが聞きとどけられて、立ち上がるのに必要な助けがあることだ。

ダルクに帰ればよかったのかもしれない。でも、私が生きていけないまちでは、だめなんじゃないのか。私はたまたまダルクという特権があったから生きのびた。それじゃあだめなんじゃないのか。なにがなくて、どんなふうに困ったかを、林の住民として、見とどけたいと思ったのだ。

地震でひどいめにあったのに、なんで被災地の宮城県にきたの？　とよく訊かれる。「たいへんだったんじゃない？」ってはじめて言ってくれたのは、同じように地震で家がめちゃくちゃになった、仙台の友だちだった。家がない服がないなにもない、という「状況」をたすけてくれたのは、自分も被災しながら支援活動してる友だちだった。私の話をそのままきいてくれたこと。理由や法的な名付けはともかく、「状況」にそくして助けてくれたこと。私の〈人権〉は、同じように困って助け合ってる人たちのところに、かろうじて灯った。ああ、それってダルクみたいだね。

私の住所や戸籍や住民票はたくさんの例外を抱えていて、どこの窓口にいってもものすごく時間がかかる。私がふつうの家庭に育って正社員の仕事をしていれば五分ですむ手続きは、書類が三枚増え、かかる日数が三倍になる。

でもあのころ、宮城の郵便局では、「震災で」っていったらそのひとことでオッケーだった。あれこれ訊かれずにじゃあこことここ、こう書いてねとすぐに終わって、すごくほっとした。いろんな状況、いろんな事情の人がいるんだ、という前提が共有されてて、蚊帳の外に置かれないこと。それは〈人権〉のひとつだ、と知った。

お彼岸のお供え花束をつくる工場や、配送先に被災地の地名が並ぶパン工場の夜勤で、日雇いの仕事をした。失業保険も保険証もないけど、ほかにできる仕事はなかった（「月給のまともな仕事」を探しているあいだに生活費がかかるので、日払いの仕事でないとできないのだ）。

港や倉庫や工場で働いてるひとたち、山や浜で農業や林業、漁業の仕事をしてる人たち。もしかして、〈人権〉の光あふれる広場は遠くのまちにあって、海や山の人たちは（文字通りの）「林」や「森」で暮らしてたんじゃないか。進まない復興、風評被害を通して見えるようになった第一次・第二次産業への誤解と偏見。

ひょっとして、〈人権〉ってまちのサラリーマンのもの？　宮城に住んでると、そう思うことがしばしばある。

ダルクと「地方」は似ている。過疎という暴力みたいなもの、一次・二次産業の衰

☆ ☆ ☆
☆ ☆

退、過疎化という「林」や「森」に生きるひとたち。

ダルクを離れると〈人権〉がない。まちを離れると〈人権〉がない。そんな社会で生きるのはいやだ。林で森で助け合ってるひとたちのところにいたい。ここには、ここにしかない花が咲いている。この豊かでうつくしい森や林に散策路があって、だれでも行き来ができて、風と光が通るといいな、と願う。

もしも、お母さんが
「死にたい」と言ったら

お母さんの勉強

さて、こちら「ダルク女性ハウス」の通所スペース（ほかに、生活をともにする入寮スペースもあるの）は、二十畳ほどの大きさ。もちろん、キッチン、トイレ、風呂つきよ。建物は新しくないけれど、意外とゴージャス……？

月に一度、ここは、こどもたちのはしゃぎ声やお母さんたちの笑い声でいっぱいになるんだ。みんなでいろいろな雑談をしたり、うどんを打ったり、絵本を読み合ったり。

ハウスに通う仲間とそのこどもたちが集まる、この「母子プログラム」は、薬物依存から回復したあるメンバーと、元中学校の先生が中心となって、二〇〇四年、いまから八年前から行われているの。みんなでディズニーランドとか、夏に

知江さん、宮城から、ありがとう。

はプールとかに遊びに行くこともあるんだよ。

中心メンバーのみどりは、二人のこどもが小学校に入るころにダルクにやってきて、十年使ってきた覚せい剤を一度、やめた。でも、一年ほどでまた使ってしまって、それ以来、しばらくのあいだ、ハウスに通えなくなってしまったの。通わないでいるあいだ、薬物を使ったまま、こどもの運動会に出たこともあるんだよ、って、あとになって聞いた。

「誰も見ていないのに、刺さるような視線を感じたり、毎日、妄想がすごかったの」。

このままではまずい、と、ひとりで覚せい剤を絶とうと決意して部屋にこもり、こどものごはんも作れない毎日が続いたという。けっきょく、「やっぱり助けを求めるしかない」。そして、ダルクにまた毎日通いはじめたというわけ。それからしばらくして彼女たちがはじめたのが、この「母子プログラム」だったんだ。

依存症からの回復と子育てとの両立は、とてもきついの。だからこどもを交じえて、同じ時間と空間を、仲間と共有する。そうすると、自然と安心感が生まれ

てきて、少しだけ気持ちが落ち着くことがあるんだ。

みどりが最初に自分のこどもをここに連れてきたとき、わが子に向き合って、こう言ったんだよね。

「お母さんはここで毎日、勉強してるんだよ」。

いつかまた、いっしょに

そんな「母子プログラム」がうらやましい、と思うお母さんもいる。

美津は、そんなお母さんのうちのひとり。いま、小学生のこどもふたりと一時的に別れて、ひとりで暮らしているんだ。

美津の夫で、こどもたちのお父さんである男性は、結婚前から彼女に暴力を振るっていたんだよね。けっきょく美津はその男性と離婚したんだけれど、夫への怒り、周囲の無理解への怒り、そしてこれからの生活への不安。そんな思いがふくらんで、中学生のときにやっていたシンナーに手を出してしまって、とまらなくなっちゃったの。二十四歳でハウスにつながったんだけれど、こどもたちは児童養護施設に入れられたんだよね。

ハウスにきた直後は、ミーティングに出ても、「こどもに会いたい」って、泣いてばかりいたし、母子プログラムに出る仲間がうらやましくて、「私もああなりたい」といつも言っていたの。

だから美津は、まず、自分ができることをはじめたんだよ。やはり月一回の「ママ・クローズド・ミーティング」っていうのをはじめたんだ。さまざまな立場のお母さんたちが自由に集って、それぞれの悩みやつらさを分かち合う、というもの。

それから一年ほどして、美津は少しずつ仕事をはじめるようになった。こどもたちとまたいっしょに暮らす日も、一歩ずつ近づいているような気がする、と言う。

「でも、あせっちゃいけない、って思ってるよ。こんどはもう、手放したくない

からね」。

そもそもこどもって安定しない生き物だから、どんなお母さんたちだって、子育てはたいへんだ。悩みはつきない。そして、依存症をもつ人は、たいがい、気分的な変動をはじめとする、いわゆる〈うつ〉っぽい傾向をもつ場合が多い。こどもに負けず劣らず、お母さんたちもなかなか安定しないんだ。

あたし上岡も、じつはずっとそうだった（いまでもそうだ）。

ポストがあふれる理由

大学生になった息子は、いまになってあたしに、こう言うの。

「オレが小さいころ、いつもあんたは寝てたよね」。

心の奥底はわからないけれど、責める調子はないから、ありがたいな、と心の中で手を合わせている。

そう、当時（いまもたいして変わりはないけれど）、わたしは毎日とてもつらくて、朝、起きることなんてできなかったし、昼間も昼間で具合が悪いことが多くて、息子が寝て、深夜、あたりが静かになると、ようやくからだを少し起こしながら、ひと息ついていた。音に過敏になる症状もあったから、こどもの声を聞くと本当は落ち着くはずなのに、そんなときはすべての音がつらかったんだよね。息子に対してごめんねと思えば思うほど、家の中の音は大きく聞こえてしまって、まるで自分を攻撃しているように感じてしまうのだ。

そんな時期には、郵便物を取りに行くことすらできなかった。まるでずっと留守にしている家みたいに、手紙やら、チラシやらが玄関のポストにたまり続ける。ドラマみたいだけれど、本当だ（いまでもたまにあるけれど、最近はもう近所の人たちもあきらめ顔で、「またちょっと具合が悪いんだね」とわかってくれている。ありがたい……）。

さて、ようやくそれらを取りに行ける日がきたとしても、こんどはその山が分類ができないし、開封もできない。なにか大切そうなものであればあるほど、封

を開くことができない。開けた瞬間、私を混乱させ、おおいに悩ませる「（正しい）世の中」が侵入してくるような気がするからだ。それにくらべてチラシなんてその場で捨ててしまえるはずだけれど、その中にうっかりなにか大切なものが混じり込んでしまう気がしてくる。だからけっきょくすべてが混在したまま、こんどは部屋の中で放置されることになる。こんなときは、なぜかほんの短い時間が、永遠につづく時間のように感じられて、気を失いかけることもしばしばだ。

そのうちにひと月が過ぎる。大切な書類の返送期限や提出期限は、とうぜん、切れているだろう。それに、すでにまたポストには、あらたな郵便物がたまっているはずだ。

私はポストの前を息を殺してこそこそと通り過ぎる。おかしいよ、って思うかもしれないけど、本当なの。すべての時間が止まってしまったような気もする。カレンダーやスケジュール帳を見ることもできなくなり、いまがいったいいつなのかもわからなくなっている。約束はとうぜん、すべて破られる。

そんなふうだから、息子が小学生だったとき、彼が学校から持ち帰ってくる

正しい世の中

POST
正しい世
い世の中

「保護者(ほごしゃ)の方へ」と題された書類なども、当然、たまっていく。親はそれを読み、そしてなにか必要なことを書き込んで、切り取り線からきれいに切り取ったりして、期限までにこどもに持たせなくてはならないはずだ。わかっているけれど、それができない。

ある日、息子が寝静まった深夜、ランドセルの中を、そおっとのぞいて見る。……やっぱり。息子ももうあきらめているのか、それともあたしへの気づかいなのか……。担任(たんにん)に向けて、書類の提出が遅れに遅れてしまったことへのいいわけとあやまりの手紙を、まよいながらまよいながら書いているうちに夜が明ける。親の私を悩ませるような書類を、いたいけな子どもを通して持たせる鬼(おに)のような学校に、心底(しんそこ)、腹が立つ(思った通りにコトを進められない人間だっているんだよ!)。

少し調子がもどれば、そんな私の怒りはたんなる逆恨(さかうら)みだとわかるのだけれど、その最中にはどうしようもない。息子からしたら、しょっちゅう横になっている母親が、めずらしく起きていると思ったら郵便物の山の前でぐったりしている、学校へ出すべき書類を前に、それを読むこともできずに、ただじっとしている…

…母親のそんな状態は、じつに不可解だったにちがいない。あたしのせいで、先生にいつも怒られてもいたかもしれない（ごめんね……）。

　こんな母なのに、息子、見捨てないでくれてありがとう。これからも、あたしはあんまり変わらないと思うけど、末永くよろしくおつきあいくださいね♡。

泣きながら帰る母

　少し調子にのってしまうようだけれど、私の仲間である「母たち」の話を少し、したいと思う。

　読んでいてあきれちゃうかもしれないけど、本人たちは必死なんだよ。

　もともと自分がこどものころの学校生活には、ひとつもいい思い出がないの。なぜならいじめられた記憶しかないから。だから自分のこど

もの学校にも、いろいろ思い出すし、本当は行きたくない。学校の説明会で使われた資料は、漢字がむずかしくて読めなかったし……。ほかのお母さんたちはとてもイキイキしてるように見えてしかたがなくて、きっとあの人たちはいろんなことがうまくいっていて、なにかのときは支えてくれる家族もちゃんといるんだろうな……学校に行くたびに、そんな思いばかりして、いつもいつも悲しくて、泣きながら帰ってきた。

気分が悪かったり、調子が悪かったりする日が多くて、子どもの学校のようすもなかなかわからないでいたんだけれど、ある日、保護者会があって、なんとか自分にムチ打って、始まる五時間も前から準備をはじめて、ようやく参加したんだ。

せっかくがんばったんだから、もうひとがんばり！って思って、全身の力を振り絞って、話しかけやすそうなお母さんに話しかけてみたら、学校の情報をいろいろと教えてもらえた。しかも帰り道、そのお母さんにお茶に誘われたの。ほんとうは具合がよくなかったのに、ここで断ったら自分のこどもが仲間はずれにされるんじゃ？　って思って、がんばってファミレスにおともしたところ、お茶じゃなくてビールにしない？　ということになってしまって。具合が悪かったから、出かける前に抗不安薬を飲んできたというのに……でも、断れず、それでもなんとか乗り切れたと思ったけれど、帰宅したあとで、あの親切なお母さんからメールがきた。「あんなことを言うなんて！」と。

……「あんなこと」って、いったいどんなこと⁉……薬とお酒を一緒に飲んだことになってしまったから、最後のほうに自分がなにを話したのか、まったく記憶がない。だからなぜメールでなじられているのかすら、わからない。ようやく苦手な学校のことを聞けるお母さんができて助かった、と思っていたのに……もう二度と学校に行けない……。

お風呂に入れない、中で息苦しくなるから。出たあとの心臓の動悸が二時

間ぐらいおさまらず、疲れ果ててしまうから。節々が痛くなるから。からだを動かすこと、人といることもとてもつらいので、こどもが好きで行っているサッカークラブの練習の送り迎えや、スイミングクラブのレッスンが終わるまで、ほかのお母さんたちといっしょになごやかに待つことなんて、とてもじゃないけれど、できません……。

朝、どうしようもなく起きられない。保育園に送り迎えするときの、こどもを乗せた自転車が鉛のように重い、信号を待てない、倒れそうになる。世界から色がなくなる。自分がどうなってしまうのかと、あてどない不安やおびえで暮らす毎日は、時間の流れが異様に遅かったりする。毎日、死んでしまいたい気持ちでいっぱいだった。

……みんなタイヘンでしょ。生きていくのはそんな母たちにとって、簡単なことじゃない。なんとか動こうとするなら、薬を飲むか、食べまくるか、アルコールを飲むか、パチンコするか、なにかを買いまくるか……〈うつ〉になるたび、犬を飼う知人もいる。しかも大型犬をだ。そんなふうにして自分のペースを必死に持ち上げていこうとするんだけれど、それは、とてもとても、とても、しんどい。でも、そうでもしないと、頭もからだもこころもフリーズしたままになってしまう……

もう本当に、タイヘンなんだ。

そんな自分を責めている

家族が、とりわけ母親が毎日こんなふうな状態であれば、こどもたちは、とてもつらいだろう。母親はごはんをつくる気力なんてとてもないように見えるだろうし、きっとじっさい、つくれないときもつづくだろうしね。家の中も散らかっているかもしれないし、洗濯物もたまりにたまっているかもしれない（ああ、人ご

とじゃないよ……）。
でも、日本では母親が毎日ごはんをつくったり、そうじ・洗濯をじょうずにするのが当然、と思われてところがあるから、じつはこどもたち以上に母親たちはつらい気持ちでいるかもしれないよね。母親なのに母親らしいことができていない、と思い込み、たぶん、自分のことをとても責めていると思う。自分はダメな人間だ、生きる価値のない人間だと思い込んでいるかもしれない。こどもにとっては、ほかのなににも代えられない、大切なお母さんなのにね。

もしも、もしもこの本を読んでいるあなたのお母さんがそんな〈うつ〉の状態だったとしたら——むずかしいかもしれないけれど、少しだけ理解してあげてくれないかな。お母さんたちは、望んでいまの状態になっているわけじゃないってことを。

ここからは、もしもあなたのお母さんがそういう状態だったとき、どうしたらいいか、少しつらい話もまざるかもしれないけど、話しておきたいな、と思っています。

「死にたい」と言うグチ

どう見ても具合の悪そうなお母さんから、もしかすると、ある日、「死んでしまいたい」とかいうことばを耳にすることもあるかもしれない。

家族の中でこのことばが発せられると、世界の色が灰色(はいいろ)になってしまうよね、あたしにも想像できる。

さっき、お母さんのことを少しだけ理解してあげて、とは言ったけれど、こどもだって自分の気持ちを理解されなくちゃいけないし、尊重(そんちょう)されなくてはいけない。あたりまえのことだよね。

だから、そういうことばを、おとなである母親から聞かされたなら、まず、安全な誰かに、自分の気持ちをきいてもらう必要がある。ことばを発した本人は、状態が回復すると、自分が言ったことなど、意外(いがい)と忘れているものだ。あるいは、そんなことを言っていたときは、もう本人はいっぱいいっぱいで、自分がなにを言っているのか、意識にすらないことも多いんだ。

また、こんなふうな〈うつ〉の症状で記憶力が悪くなっていて、本当におぼえていないということも、よくあることだ。でも回りにいる人間にとっては、忘れられないし、聞かされた人間がひとりで抱えられるような体験じゃない。

あたしのまわりには、よくそういう発言をする仲間が、じつは多いんだ。そんなことばを聞いたあとは、あたしもまた、またべつの仲間や専門家に、話を聞いてもらうようにしている。じゃなければ、身が持たない。「死にたい」ということばは、まわりの人間に対して、破壊的なパワーを持つからだ。

または、くり返される誰かへの悪口や、あるいは具体性のない、あらゆるグチ、グチ、グチ……グチの最後に「死にたい」がくることもある。

〈うつ〉で毎日つらい気持ちでいると、つい身近にいるこどもに向かって、お母さんたちはそんなことを言ってしまうことがある。もちろんお母さんたちだって、自分が生きのびるためには、誰かにグチを言うことが必要なんだ。でも相手をまちがえてしまう。ほんとうは、おとなのグチはおとなに言うべきなんだよね（とりわけ「死にたい」ということばは、しかるべき専門家に言わなくちゃ）。そんなことを言われても、こどもはどうしたらいいかなんて、わからない。それに、親の悲しい話を聞くのは、きっととてもつらい気持ちになるはずだ。だからといって、お母さんをなんとか守ってあげたいと考えたり、一生懸命支えようとしても、おとなの問題は、そうそうは解決しないことが多い。

それに、もしかしたら、グチをくり返したり、「死にたい」と言っている本人も、なんだかよくわからないまま、ただなにかを言いたいだけだということもある。答えはとくにいらない、そんなていどの話じゃないとは言い切れない。

お母さんに必要なのは

だからまずそんなときは、お母さんに悪い、なんて思わないで、部活動やゲームや音楽を聞くとか、お笑いとか、自分の好きなことをすればいい。

そんなことする気になれないって？　わかるよ。でもね、おぼえておいてほし

いのは、グチはグチを言うひとが生きのびるもの、無防備のまま、目の前でそれを言われつづけるほうは、ひたすらチカラを奪われるということ。それに、残念ながら、どんなにグチを聞いても、それでなにかが変わることはまずない、と考えていいと思う。

お母さんのそんなようすがつづけば、本当は母親がただ「だらしなくて」「やる気がなくて」、いまみたいな状態になってるだけじゃないか、と疑うこともあるかもしれないし、ときには「自分のせいで」母親がそんな状態になってしまったんじゃないかと思うかもしれない。

でも、それはちがう。からだを動かすことが見るからにしんどそうだったり、常軌を逸したグチをくりかえしたり、「死にたい」ということばを発したりなど――そういう場合は、そのうしろに、〈うつ〉という病気がかくされていることが多いんだよ。そしてあたしたちのように〈依存症〉だったりすれば、こういう気分の変動はまずまちがいなく、しかもしばしばある。

それをわかっていない周囲の人が、ときに、「気持ちの問題じゃないのか」とか言うかもしれないけれど、それはちがうんだ。いままでにも話してきたとおり、気持ちや根性で克服するのはむずかしい。お母さんのそんな状態にふさわしい支援が、本当は一刻もはやく必要なんだ。

とはいえ、学校のことや、友だちとの関係のことだけでも忙しい時期のこどもであれば、「病気だからしかたない」なんて言われても困るだろう。そもそも、身近に困った問題があれば、自分のことはぜんぶ自分でしなくてはならなくなっているだろう。ほかの友だちとそのお母さんと、自分と自分のお母さんをくらべて、思わずキレそうになるのを我慢しなきゃいけないときも、きっとあるだろう。

それに、「死にたい」ということばや、どこまでもくり返されるグチは、さっきも書いたように、それを聞かされた人間から全身のチカラを奪い取る。相手が病気だろうとなんだろうとね。そして、自分までカラダにチカラが入らなくなったり、不安で家から出れなくなったり、逆に外で暴れたい気持ちにもなるかもしれない。とうぜんだと思う。だからもし、そういう気持ちになったとしても、そんな自分を責める必要はまったくない。

人生でいちばん大切なこと

さて、ここからが本題だ。

そんなとき、どうするか。お母さんに支援が必要なように、こどもだって、苦しいときやつらいとき、支援をしてもらう必要があるし、そうされる権利がある。

とりあえず、身近に相談できる人がいないか、相談できる場所がないかを探してみて。そして、もしもみつかったなら、「困ってる……。」まずはそうひとこと、言ってみよう。人生の中でほんとうに大切なことは、困ったときに、困っている、助けてほしい!!と言えることだけだと、あたしは思う。

でも、それを言える相手なんて身近にいない、と思うかもしれない。学校の保健の先生や、スクールカウンセラーはどうだろう。でも、やはりこどものころになにかしらの大きな苦労をしたあたしの仲間たちは、この本の冒頭（ぼうとう）のミーティングでの発言などにもあるように、家族の問題だけは学校では話をしたくなかった、こどもにだって見栄やプライドはあるのだと言う。

そんな気持ちは、じつはあたしにだってとてもよくわかるところがあるんだけれども、親が病気になったときはそんなことは言っていられないのだ。依存症や〈うつ〉は回復に時間がかかるし、家族のみんなが力尽きて部屋に閉じこもったまま、全員がどうにもならなくなってしまう可能性だってある。そもそも親の病気で、こどもが傷ついてはいけない。ここは気を強くもって、たとえば家でのまともな会話が、すでにひと月なかったとしたら、誰かに話をしてみよう。話をしてくれるのを待っているおとなだっているのだから。

さいしょのひとこと

もしも学校関係が「あり得ない」と思うならば、地域の保健所や、精神保健福祉センターがある。インターネットなどで各地にあるそれらの機関の電話番号などを調べられるし、電話番号案内の「104」をダイヤルして、たずねてもいい。

それから、児童相談所（全国共通ダイアルは0570-064-000）もあるよ。また、月曜日から土曜日の夕方四時から夜の九時までのあいだ、十八歳までのこどもに対応してくれる専用電話、「チャイルド・ライン」（0120-99-7777）などが話を聞いてくれる。これらはみんな、話す相手を直接知らないわけだから、その分、気が楽かもしれないよね。朝早く、夜遅く、あるいは土曜日や日曜日、お盆や正月など、それらの機関の窓口が閉まっているときにSOSを出したくなったら、二十四時間体制で通話料金もかからない「よりそいホットライン」というものもある（0120-279-338、http://279338.jp/#）。

まず電話をしよう。そしてひとこと「困っています……」と言おう。電話相談は自分の名前を言わなくもいいんだし、最初からすべてを説明しようとする必要なんて、ぜんぜんないの。そのひとことをまず、口に出そう。秘密を守ってくれる専門の機関があるっていうことを、忘れないようにしてね。

もういちどくり返すけれども、親の病気はあなたたちのせいではないし、家の中のことで困っていることを、こどもが誰かに話すことは、誰が聞いてもとうぜんのことなんだ、ということ。ましてや、けっして恥ずかしいことなんかじゃない。親のことを、家の中で起きていることをだれかに話すことについて、プライドが傷つくと思い込む必要もない。それを肝に銘じてください。プライドはあなた自身のために、たいせつにとっておくべしだ。

あたしを含めて、おとなたちは、自分がつらくても、「困ってる……」、助けてください」と、（病気である人もそうでない人も）なぜだかなかなか言い出せない。それはけっして誇れることじゃない、とあたしは思う。そういうあたしも、かつての自分の問題を、だれか、助けて!!　と口に出せるまでに、五年くらいかかった。とりわけあたしたちの仲間は、なかなか人を信用できないから、その分、助けをもとめるのも苦手なんだよね。あなたたちとは立場もちがうし、こんなザマだし、だから本当はえらそうなことは言えないんだけど。

でも、おなかから声を絞り出すようにして、高いところから飛び降りるような気持ちで、「困っているの」「助けて」と口に出したとたん、ほいきた、と助け船を出してくれた人がいままでに何人もいたということは、こういう機会に、どう

しても伝えておきたいな。こんなことならもっとはやく相談すればよかった、と思うこともたくさんあったんだよ。治療する場所を探してくれて、いっしょに行ってくれた知人もいた。アル中で、ヤク中のあたしなんかでも……とてもありがたかった。ひととのつきあいはいまでも苦手なことにかわりないけれど、ひとってそんなに捨てたもんじゃないとも、つくづく思ってる。

あたしは、お母さんたちだって、SOSが出せればいい、出していいんだ、って、こころから思っているよ。でも、どうやって出せばいいかなんて、じつは誰も教えてくれないよね。ハウスでは、SOSを出す練習をしているけれど、でも、うまくそれが出せないから、病気でもあるんだよね。わかるんだよ。けど、困ってしまうよね。

だから、あなたたちこどもが、お母さんや、家族のことで困っているのなら、どうか、SOSを出してほしい。出していいんだし、出す権利もある。遠慮なんていらないんだよ。けっして恥ずかしいことじゃない。いちどで思うようにいかなくても、あきらめないで。たよりにできるおとなは、ぜったいにいるんだよ。

もしかすると、自分が相談なんてしたら、すべてがこわれてしまう、おうちにもいられなくなるかもしれない、って思ってるかもしれないよね。でもね、さっきも言ったように、秘密を守ってくれるところもあるし、ほんとうの名前を言わなくてもいいんだし、最初からすべてを言わなくたって、いいの。

お母さんたちだって。ねえ、ほんとうは同じなんだよ。「困っています……」、専門の窓口（さっきこどもたちに挙げた、保健所とか精神保健福祉センターでもいいんだよ）に電話して、そうひとこと、声に出してみて。

苦しいときに助けをもとめるのは、こどもたちと同じように、ほんとうはあたしたちおとなにだって保証（ほしょう）されてるはずの〈権利〉なんだから。

そのことを信じてくれると、うれしい。

あとがき

仲間は笑う

高知の飛行場で、現地の仲間と熱い抱擁(ほうよう)をし、あたしたちはよくがんばってるよね、ちょっとそそっかしいけどさ、と笑いあう。

ふたりともずいぶん長いあいだ、自殺することを考えていた。

「よく生きのびたよね、あのころを考えると」

「うん、ココロのダースベイダー時代だからさー」

「ねえ、そのとき、何をしてもらいたかった？」

「ただそばに誰かいてほしかっただけ、だけどさ、誰かがいてもリスカはとまらないし、危険な男とつきあうこともやめないし、処方薬の大量服薬もやめれなかっただろうけどね。いまなら脱法ハーブ……きっとやめられなかっただろうね」

（ほら、ほかの人たちには生きるみちすじがわかっているみたいじゃない）

「道にまよっているんだよ、って認めてもらえるだけでよかったのかも。生きかたがわからなくて自分を破壊したい、でもそんな気持ちのままでもいい、って受けとめてほしかった。

なんであんなに暗いことしか考えられなかったんだろうね、恋人にフラれたと勘違いして自殺未遂まで起こしてたんだよ、その後二年間も、ホントにひどい生活していたんだ、あはは……ひとりでいることも、すごくつらかったな」

前日、ジリジリ照りつける高知の海ぎわをドライブしながら、ふたりで海を見ながら、あーきもちいい、この景色はタダだね……いつしか私たちの悩みの種類は変わっていき、自分のことよりも仲間のことや家族の問題のほうに頭を悩ましている、そんな自分たちに気がついた。でもまあやっぱり、悩んでるよねえ。それに変わりはないけれど。

今日がその日で終わらず、際限なく苦い時間がつづく毎日を、なんとか区切りをつけられるようになるまで支えてくれていた人たちがいたことや、出会いを求めるチカラが残っていたことに感謝した。

それにしても。

ねえ、勘違いで死んだりしたらダメだよ。

☆☆

この本はひとりで生きのびているあなたへの、私たちの近況報告です。

ハウスを運営して二十二年がたちました。虐待ということばもなくDV

ということばもなく、この先わたしたちはどうなるんだろうか……そんな目安すらまったくない中で、おっちょこちょいにも仲間と走りだして、ものすごく後悔した日々でもあります。

毎年春には、今年でハウスを辞めます、と関係各位にメールを真剣に出す生活は変わりません。秋にはすべての色が失せ、自分がなんのために生きているのかわからなくなり、朝からポテチを食べて息子にしかられる日々です。だけどとにかくヨロヨロと生きてきました。

そしてここ数年は、仲間たちとこんなことを考えていたんです。

ひっそりと、でもきっと力強く生きのびているあなたに、少しでもこの本が役に立ちますように。

じゃ、またね。

二〇一二年九月四日
高知から帰る機中、白い雲の上に浮かびながら、いろいろなことを思い返しつつ

上岡陽江

増補(ぞうほ)

その後のあたしたち

あれから十年たちました

上岡陽江

この本の旧版が出たのは二〇一二年の秋。あれから早くも十年あまりがたつ。私たちはそのあいだに変わったのかな。そうでもないのかな。

私たちのことをこの本で知りました、って言ってくれる人はじつはとても多くて、でもその後いろいろな事情で、しばらく手に入らない状態が続いた。だから読んでほしいな、っていう新しい仲間がいても、すすめることができなくて少し困っていたの。このたび、増補を加えて、ようやく再出発できることになってとても嬉しいです。

増補はこのページ以降、ふたつほどあります。

ひとつは、旧版のⅠ章にある「ある日のミーティング」の追加版。あれからもわたしたちはみんなでミーティングをしています。最近のミーティングの中で、とくにいろいろな意見が出たのが「お金」に関するもので、構成はⅡ章と少し違いますが、これを加えます。

もうひとつは、同じくⅠ章の「仲間たちの話」。旧版を作っていたときにスタッフとしてハウスにいたけれど、タイミングが合わずに話を聞くことが叶わなかった仲間の話です。

増補部分については、ハウスの中心的なスタッフへと成長した凛ちゃん（三十八ページに登場していました）がイラストを描いてくれました。旧版の100％ORANGE／及川賢治さんの愛らしいイラストは、私たちにとってとんでもなく嬉しいご褒美で、それは今も変わらないんだけれど、凛ちゃんはイラストレーターとして隠れた才能を持っていると思ってるの。成長の証みたいな感じで増補版のイラストをお願いしました。

☆

今年のハウスもあいかわらずで、十年、十五年と長く薬物をやめていても、とつぜんのフラッシュバックで苦しむ仲間たちや、重いうつでつらさを抱えるメンバーが多く、危険でした。夏の異常な暑さ、つぎつぎに起きる暴力的な事件や戦争、性的な少数者の人たちへの配慮のない報道やそれによる自死、芸能関係の、心を痛める報道。そんなムードをみんながなにかのかたちで受け止めていたと思う。でも誰かに会いに行ったり直接話をしに行ける気象でもなかった。経済的に苦しくてクーラーが使えず、近所の図書館をたよりにしていたのに、コンピュータの使い方がわからなかったり、改築されてきれいになりすぎていごこち悪く感じる仲間たち。食料品の値段が上がり、お弁当を３５０円で買って、夜ごはんと翌日の朝ごはんにしていたメンバー。でも私たちは強く生きていくの。恋する女性が健在なのはもちろんいいけれど、男性のためにお薬を飲みすぎないようにね。刑務所を出てきたばかりの障害をもつメンバーがダルクに来て、派手ではないけどおいしいおやつと暖かい飲みもので休憩して、仲間たちから洋服をゆずってもらったりして、ここってお金持ちなんですね、と言う話を聞いたり。そんなわけないけど（笑）、ハウスはやっぱり相変わらずで、普通の古いマンションを二部屋借りているだけ。はじめて来た仲間はがっかりするけど、でも、いごこちはいいと思う。私たちはわざわざ、小さいままでいる。

続・ある日のミーティング

——お金について考えてみた

ある日のミーティング⑥
ある日のこと……
ハルエさん、しばらくミーティング休んでいいですか？
なんで？…

歯を治すのに10万かかるからずっと歯医者に行けなくて歯がガタガタで。こんどの先生とはうまく行きそうだから。
いいなあそんな先生

…なんで10万円なの？…

先生がそう言うから。ちょっとかせいでくれればいいので。

お金のことで困ったらどうしてる？

困ってないっ

ース？どうもしない

自分でなんとかしてきた
あたしもべつに

ごはんに塩かけてたべてる

だれかに相談しないの？

したことない

相談したらお金くれるの？

いくら必要なら相談していいの？3万くらい？
20万円？50万円とか？

ミーティングしよっか？

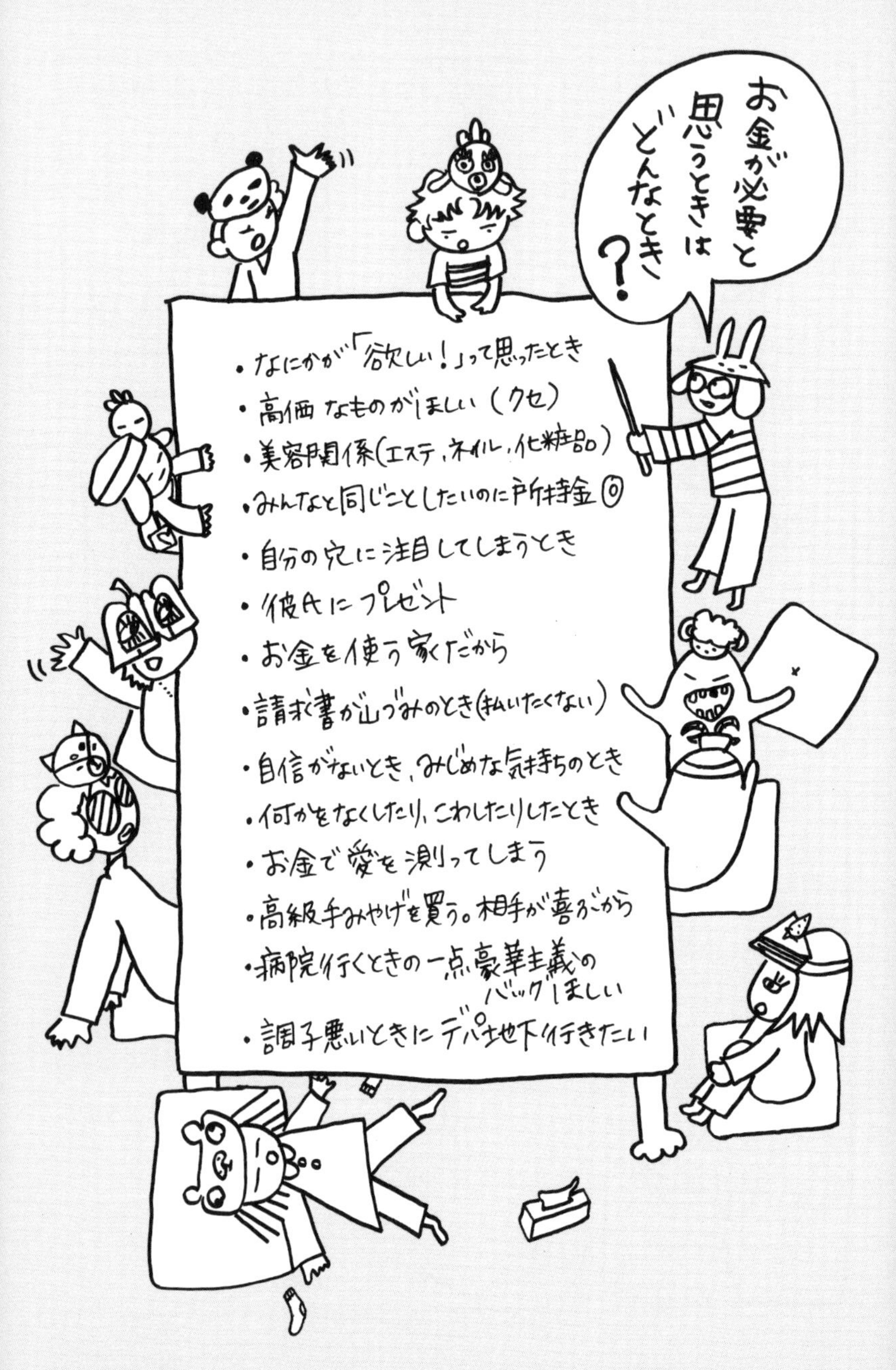
お金が必要と思うときはどんなとき？
・なにかが「欲しい！」って思ったとき
・高価なものがほしい（クセ）
・美容関係（エステ、ネイル、化粧品）
・みんなと同じことしたいのに所持金⓪
・自分の穴に注目してしまうとき
・彼氏にプレゼント
・お金を使う家系だから
・請求書が山づみのとき（払いたくない）
・自信がないとき、みじめな気持ちのとき
・何かをなくしたり、こわしたりしたとき
・お金で愛を測ってしまう
・高級手みやげを買う。相手が喜ぶから
・病院行くときの一点豪華主義のバッグほしい
・調子悪いときにデパ地下行きたい

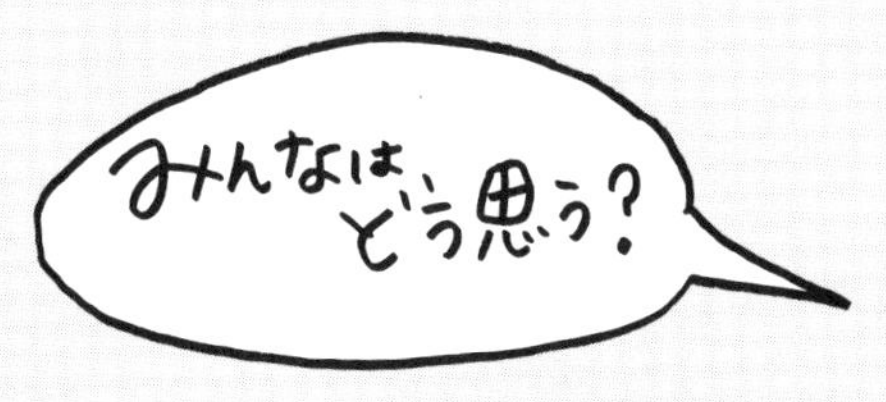
みんなは
どう思う?

美容にお金
かけたいのはわかる

金を
手に入れる
手段はいろいろ
先のことを
考えない
金の
使い方

豪華な
バックより
体調

自分は
サラ金で
父は
競馬で借金
退職金で
足りない

男にお金
使う(服・小物)
ことで
優越感

高い化粧品でも
そのへんの
安いのでも
変わらない

行きづまると衝動的に
お金を使いたくなる

ネイルで
ツメぴかぴか
なのに
ダイエットで
お肌
カサカサ

かのんの場合
必要じゃなくてもモノをもっていたい
冷蔵庫も食べものでいつもパンパンにしてたい。
同じものを何度も買う
モノが増えすぎて人が住めない。トランクルーム借りる
モノは裏切らない文句言わない傷つけない否定しない
みんなはどう？

追いこまれてる感じのときそうなる
お菓子の箱フタが閉まらないくらいだと安心感ある
何がおきてるかわかってない、不安なとき？
私も使わないモノを買う。さびしい気持ちだから

クタクタなのに遠回りしてでも買いに行く
気づくと同じようなもの買ってる
ポチるときはひとりぼっちな感じ。さびしさをうめる
モノに金を使うのは見栄、一時的なスッキリのため

共感してくれてよかった
心の乱れすさんでいるさびしい不安。そんなときモノを買うかも
買ったモノをたくさん見ると苦しくなる
買っても満たされないのに借金
山のようにクツ買ってたとき、つらいものを抱えていた。母に怒られた。母もモノを手放せない人。不安な人。
利息やばい

さびしいとき行かない方がいい場所。会わない方がいい人に会いに行く。でもさびしさは消えない

じゃ、ミーティングしかないじゃん!!

お金のことを
みんなで話してみて
どうだった？

自分のがんばりの証拠品をまといたかったのかも

値段のことは気にしてなかった

最初から借金前提。あとのことは考えてない

全身高級品を身につけてないと不安だった

お金のことで困っていたことに初めて気づいた
高いモノ＝いいモノという考え

話してもお金はくれないけど気が楽になる

利息のこと知らなかった。話すと視野が少し広がる

ほかの人のおんなじ経験が役に立つ

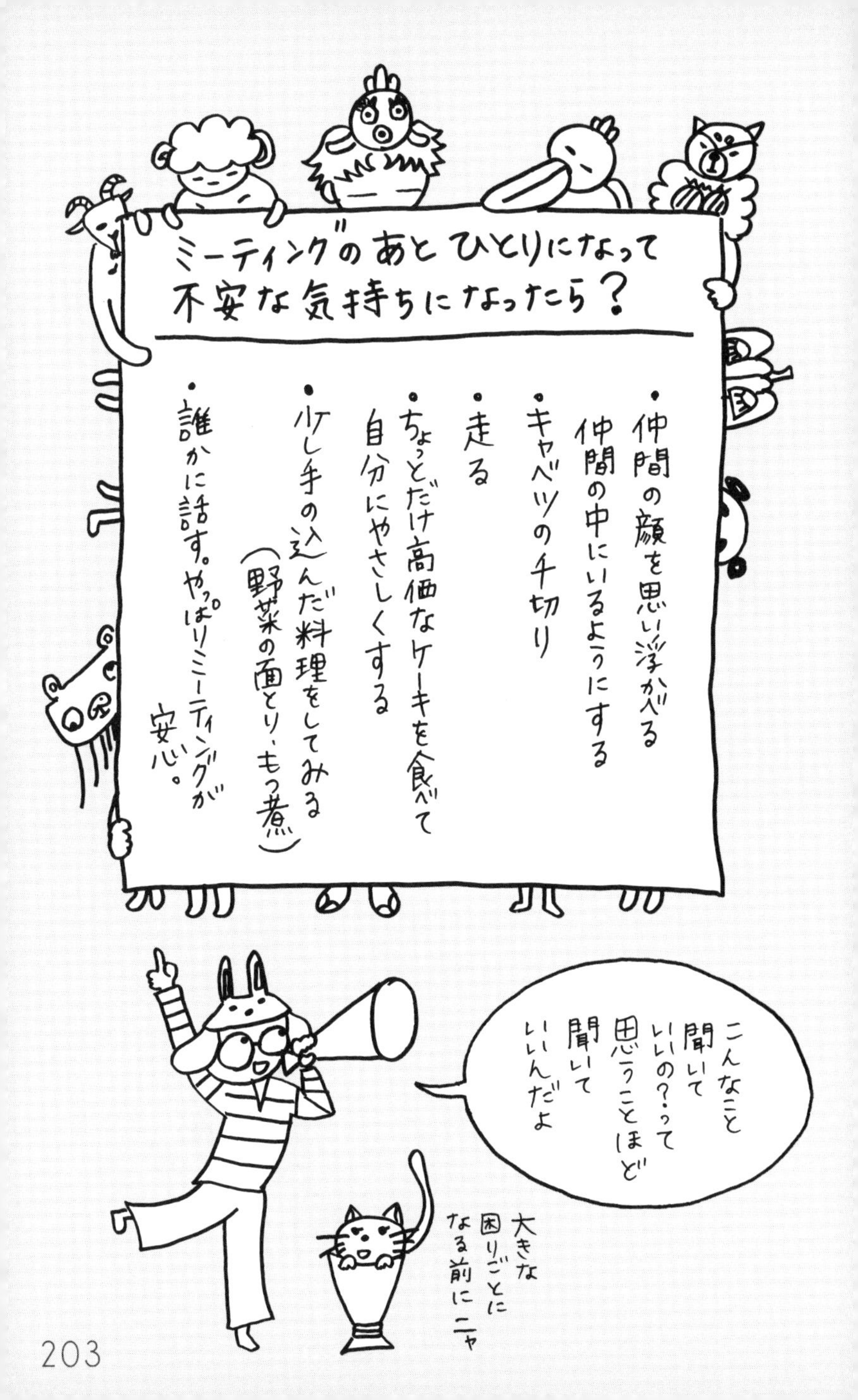
ミーティングのあと ひとりになって
不安な気持ちになったら？
・仲間の顔を思い浮かべる
仲間の中にいるようにする
・キャベツの千切り
・走る
・ちょっとだけ高価なケーキを食べて
自分にやさしくする
・少し手の込んだ料理をしてみる
（野菜の面とり、もつ煮）
・誰かに話す。やっぱりミーティングが
安心。
こんなこと聞いていいの？って思うことほど聞いていいんだよ
大きな困りごとになる前にニャ

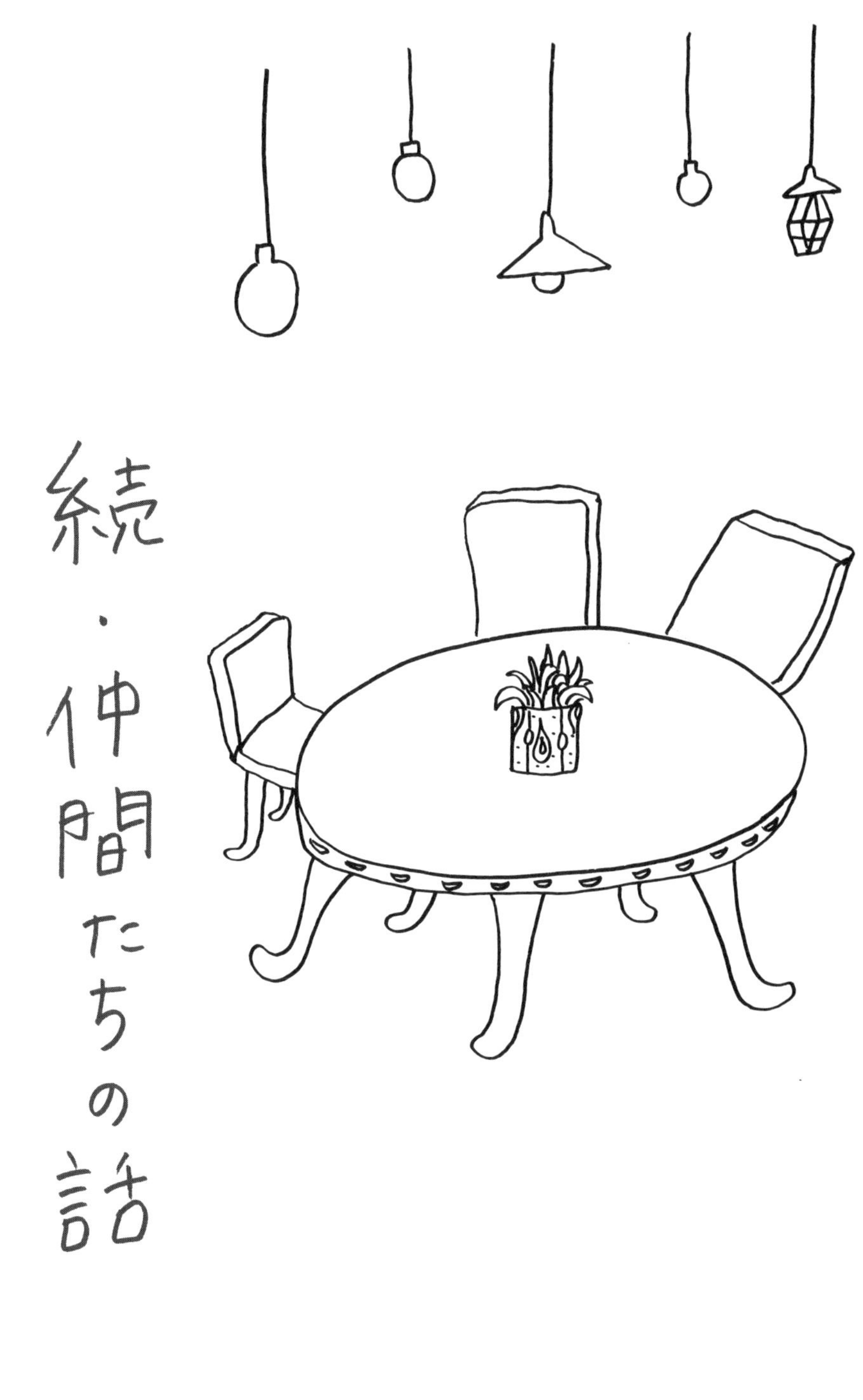
続・仲間たちの話

うたちゃん

いじけて泣いてた

あの子どうしたのかな、って気づいてほしいな。

陽江（**以下**「**陽**」）うたちゃん、今日はよろしくね。

『生きのびるための犯罪（みち）』の初版が出たのが二〇一二年の十月だから、もう十一年前になるんだよ。今回はその増補版が出る、ということになったんだけど、なぜか初版にはまったく登場していないうたちゃんに話を聞こうと思ったの。

うた（**以下**「**う**」）よろしくお願いします。

陽 初版を準備しているとき、うたちゃんはどうしてたんだっけ。

う 仲間はずれみたいに感じて、いじけて泣いてた。

陽 そんなあ。

う 本ができたあとに、みんなで打ち上げとかしてたでしょ。みんなでごはん食べたりしていいな、って。

陽 ええぇ（笑）

う （笑）じつを言えば、その頃はちょうどわたし、二人の子育て真っ最中で、下の子が二歳でまったく余裕なくて。

陽 まあ手がかかるときだよね。

う ハウスにもあんまり来れなくて、ほとんど手伝えなくて。

陽 ほかに仕事もしてたよね。

う はい、子ども向けの体操教室。いまでも続けてるけど、もうそれだけで精一杯だった。

陽 タイミングが悪かったかあ。ごめんね。今日はあらためて、うたちゃんの話をじっくり聞かせてね。

う　はい。なんだか緊張（きんちょう）するなぁ。

「いい子」の子ども時代

陽　まず、うたちゃんがここハウスにたどり着くまでの話からお願いします。

う　少し長くなっちゃうけど、いいですか。でも、どこから話したら……

陽　もちろん、もちろん。子どもの頃の話からしてもらったほうがいいかな。どんなタイプの子だった？

う　いわゆるいい子、かな。勉強もスポーツもそこそこできて。

陽　ハウスでは少しめずらしい部類（ぶるい）かな。

う　だから親にすごく期待されちゃって。

陽　それはまあ期待しちゃうのかもね。親はどんなタイプ？

う　両親ともまじめで、あんまり感情を表に出さないタイプ。小学生当時はそういう言葉で感じていなかったかもしれないけれど、だんだんほかの大人

たちを知るようになってから、うちの親はそういうタイプなんだな、って気がついた感じだと思う。

陽 うたちゃんに対してはやさしい？　それかわりときびしめだった？

う 決まりとか多かったし、まあきびしいほうだったと思う。

陽 そうなんだ。食べものの好き嫌い認めないとか？

う うーん。食事のときとか、わいわいやって食べるというより、それぞれモクモクと食べる感じ。そして全部食べ終わるまでぜったい席を立っちゃダメとか。お菓子もダメだし、あとテレビは三十分以内。おこづかいもなくて。

陽 反抗しなかったの？

う それより、なんか期待されてたのをいつもビンビンに感じていたから、そんなことできなかった。ともかく親の期待に応えなきゃ、とか、心配かけちゃいけないとか、そんなことばっかり考えてました。暴力とか受けていたわけじゃないし、親は純粋に私に期待してくれていたから、自分が勝手

にそれに応えなきゃ、応えたいって思っていたんです。

陽　塾とか行かされてたの？

う　塾は行ってなかったです。それでもそこそこ点が取れちゃって。動き回るの好きだし、学校から帰ったらすぐに外に出かけて、飛んだり跳ねたりして男子みたいに走り回って遊んでました。髪もショートカットで、誰が見ても女子には見えなかったと思う。

陽　勉強も運動もなんでも来い！　のうたちゃんだったんだね。学校は楽しかった？

う　すごいいじめられてた時期もありました。

陽　あ、そうなんだ。誰かに相談した？

う　誰にもできなかった。下手にそんなことして親に伝わったら心配かけるから、親にはまったく言えなかったし、言っちゃいけないと思ってたし。母親は専業主婦だったから毎日家にいたけど、私のようすがへんだとか、ぜんぜん気づいてなかったと思う。いじめはエスカレートするし、苦しか

った。それでその頃から始まっちゃって。

陽　なにが始まったの？

う　万引きが。

陽　ああそっかあ。

う　キーホルダーとか、ちょっとしたかわいい文房具とか。あとお菓子とか。
そのうちばれて、親に知らされたけど、止まらなかったな。

陽　いじめも止まらなかった？

う　はい。でも四年生になったとき、いじめっ子が転校したの。それをきっかけに、強くならなきゃ！　って思って、そこから六年生までのあいだ、強烈ないじめっ子に逆転したんです。その後、中学生になって環境が変わっても、弱いところを見せられないって、毎日すごく緊張してて。またいつやられるか、って思うから。でも、あいかわらず勉強も運動もそこそこできたから、親は、この子はできるできる！　って私に期待していて、私もやっぱりそれに応えなきゃ、って気持ちで、まだまだ私はできるできる！

って。

陽 なんかたいへんだなあ。

う 親に見せてた自分と、本当の自分が違いすぎて、苦しくて……そこからだんだん遊びに夢中になっていったんです。

「自由」になりたい

陽 学校には行ってたの？

う まあまあ行ってました。たまに家出したりしてましたけど。でも、自由になりたい、しばられたくない、っていう気持ちがどんどんふくらんでいって、ディスコで遊んだり、男の人とつき合ったり、タバコとかシンナーとか。親の期待にはもう応えられない。親より友達が大事なんだ、って。そのときはそれが自由だって思ってたんです。その頃、母や父に対して、世の中は広くていろんなことがあるんだから、それを知ってほしい、って思

ってたのを覚えてます。

陽　ご家族は、そんな外でのうたちゃんのことは知っていたの？

う　はい。両親は私が帰ってこないと、たまに探しに出かけてたみたいです。母は私が家にいるときは、この世の終わり、くらいに暗い顔をしてじっとうつむいていました。ちゃんと母の顔を見るのを避けていたけど、騒いだり、叱ってきたり、ってことはなかった。父は仕事がものすごく忙しいから、ほとんど顔を合わせることもなかったけれど、なにかあれば出てくる、って感じでしたね。あとは四歳違いの妹がいるんだけれど、小さい頃はよくいじめてました。でもおたがいのことは、いつもなにかと心配し合ってきたと思います。中学時代はずっとそんな感じでした。

陽　そうかあ。高校は受験したんだっけ。

う　はい。でもまあ、行けるときに行く、という感じでした。家にもたまに帰るくらいで。お金はないから水商売していました。お店にいればお給料もらえたから。それで、そこにお客さんとして来てたある男性と出会った

んです。

事件に巻き込まれる

陽　どんな人なのか教えてくれる？

う　十五歳離れていて、奥さんも子どももいるんだけれど、お店のママともつき合ってる人でした。飲食店を経営していて、最初はいろんなものを買ってくれたりしてラッキー！　とか思っていたくらいなんだけれど、アル中で、つき合い出すうちに私によくグチを言うようになったんです。奥さんがどうとか、ママがどうだとか。あと、死にたいんだ、とか。

陽　うたちゃんにたよってくるんだね。このときうたちゃんは十六歳だったよね。

う　そうなんです。そうすると、なんだか自分が大人あつかいをされている気がして、それが私にはすごくいい感じだった。こんなふうに、弱みとか、

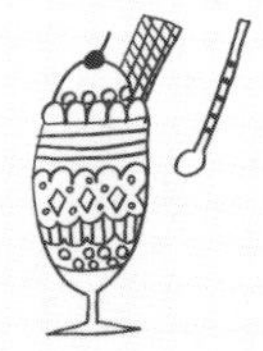

感情とかをそのままあらわにする大人がいるんだって。そこからつき合いが深みにはまっていって、まったく家に帰れなくなったんです。十六歳の高校生でしたが、学校にも行けなくなって。

陽　うたちゃんはどこにいたんだっけ？

う　奥さんも子どももいる彼のマンションです。べつに私用の部屋があるわけではなくて、リビングに布団を敷いて寝てました。私のほかにも親しい女性が何人もいたけれど、彼も奥さんもそういうもんだ、っていう感じで。あと近くに養護学校があって、そこにいる子がよく店の前を通るんだけれど、気がつくといつのまにかその子が部屋にいたこともありましたね。

陽　そういう人は、絶対に相手の子がひとりじゃないんだよ。うたちゃんだけじゃなくて、複数の被害者がいるはずなんだ。うたちゃんはなんかへんだな、って思ってたの？

う　はい。彼はすべてに異様なまでに執着するし、もちろんへんだとは感じていたけど、ぜったい家には帰らせてもらえない感じ。しょっちゅう「死に

たい」と言うし、もし私が出ていったら、家に火でもつけられるんじゃないか、って。

陽　ほんとうにやりかねない、って感じていたんだね。もし今話してて具合が悪くなってきたら、ストップしてね。

う　大丈夫です。はい、それは感覚的にありえるだろうと。奥さんや子どもを部屋でボコボコにしてるのを見ていたし、彼に逆らうとどうなるか、というのは目の当たりにしていたから。でもそれは毎日ってわけではないんです。波があって、お酒をいつも飲んでいて、やるときは半端ない。だから余計に逃げられない感じでした。トイレやお風呂にまでついてきて見張られてることもよくあったし。

陽　お店の経営者なんだよね。従業員はどうしてたの?

う　それも同じで、やっぱりものすごく全員に執着するし、束縛する。でも、店はもうかっていたから給料はちゃんと出していたし、家族をふくめた社員旅行とかもして。そんなアメとムチ的なコントロールに耐えられなくな

って逃げ出した従業員を、全員で探しに行くんです。円満には辞められない。

陽　うたちゃんはずっとマンションに閉じ込められてたの？

う　それはそうじゃないんです。お店はマンションから少し離れたところにあるんですが、そこで仕込みを手伝ったり、あと銀行行ったり、みんなの給料を袋に入れたり、借りているお金を返すための手続きをしたり、いろいろ手伝っていたんです。でもそのうち、彼のお子さんがこんなのおかしいだろう！　と彼に対してものすごく怒ったことがあって、それ以来彼はマンションとは別に、もうひとつ部屋を借りることにしたんです。そこでついに二人だけの生活が始まって、もうこれで私は二度と家には帰れないんだ、と思いました。でもそのうち、子どもが学校に行っているあいだは、そこに奥さんが通ってくるようになったんです。

逃げたら死ぬぞ

陽　へんだねえ。うたちゃんはそこから逃げたくても逃げられない？

う　はい。へんに頭がいいというか、たとえば、親に持って行け、ってわざわざ手みやげになるようなものを買ってきて、私にわたすんです。私も親に心配かけられないから、それを持って家に行く。それで、いどころは言わないまま、私はちゃんと仕事して、ちゃんと自立して生活してるよ、って顔でおみやげわたして、またもどってくる。私は早く逃げ出したかったけれど……彼は、私が未成年だから、親が警察に捜索願いを出されたら困るわけだから、たまに私にそんなことをさせていたんですね。

あと、彼は自殺用のピストルを作っているのを私に見せるんです。使い道を怪しまれるとまずいから、部品ごとに別のところに注文して、届いたら自分で組み立ててる。もちろん注文を受けた人はなんのパーツだかわかっていると思うけれど。

陽　出て行ったらこれで死ぬぞ、っていうデモンストレーション。

う　だと思うし、知っている人に死なれたら、いやな感じしますよね。そんなのかかわりたくないし、見たくないから。で、やっぱりなんとか逃げられないかと考えるようになって、ある日、飲みものに睡眠薬を入れて飲ませて逃げたんです。

陽　どこへ？

う　くわしい事情はよく知らないんだけれど、ヤクザから逃げてたある男性を、彼がまた別のマンションにかくまっていたんですが、少し前に、私は行かなかった飲食店のほうの社員旅行があって、私、そのあいだにこの男性と少し仲良くなっていたんです。そのときにその男性から、じつはこのマンションから逃げるつもりだ、と聞いていたんですね。電話番号も知っていたから、マンションから飛び出して、その男性に、これからどうしよう、って連絡したら、いま都内のある場所にいるからここに逃げてくれれば、と言ってくれて。そしてそこで無事に合流したんだけれど、二人ともお金が

ないからレンタルルームみたいなところを転々としてました。

陽　それからどうしたの？

う　私が逃げたことに気づいた彼はめちゃくちゃ探し回って、居場所をつき止められました。一緒にいた彼は元の組に引き渡されました。
　私はこのときついに、親に連絡して助けを求めたんです。このかんの事実は言わずに、ともかくいまの仕事を離れたいんだけど辞めさせてもらえなくて困っている、と訴えたんです。自宅にも彼から電話がかかってきたり、家の前でずっと張られてたりもしていたみたいで。それで父親が出てきて、話し合いになりました。彼は奥さん、従業員、全員連れてきた。

陽　それで無事に？

う　はい。マンションから逃げてからひと月ほどあとに話し合いがあって、父は彼に、もう娘はそちらに戻りませんから、と。彼はいちおう「わかった」って言いました。
　私は、ああこれでようやく自由になれたんだって。そして、新しく働き

始めたお店には寮があったから、そこで生活していたんだけれど、まわりがみんなクスリを使っていて、自由になった解放感と好奇心から、私もはじめてこのとき、クスリに手を染めたんです。。もういいじゃん、私は自由なんだから。ついに私は自分がやりたいことがなんでもできるんだから。それが「自由」だと思っていた。自分のからだにクスリを入れて傷つけてるだけなんだし、誰にも迷惑かけてないし。なんて自由なんだろう、って思っていたんです。そのあと二か月くらい経ってから、彼が亡くなったことを知りました。

陽　ピストルで自死したのか。

う　はい。私は当時、携帯電話を持ってていなくて、従業員のかたが家に電話をくださったそうです。たまたま家に帰ったときに聞きました。

陽　ようやく彼から離れられた。

う　はい、そしてさらにやりたいように自由にやって、そして三年後に捕まりました。

ハウスにつながる

陽 そしてハウスにつながったんだね。お母さんが精神保健センターに、うたちゃんの薬物依存症についての相談をして、ここを紹介(しょうかい)されたんだよね。お母さんもどうしたらいいのか、本当に困(こま)り果(は)てていたんだと思う。

う そうですよね……あれだけ小さいころから親には心配かけちゃダメ、って思い続けていたのに。

陽 ここにつながってくれて、本当によかったよ。

う 最初にここに来て陽江さんと話したとき、彼が亡くなってよかったね、って言われたのをおぼえてます。わたし、誰にも言えなかったけれど、彼が死ねばいいのに、ってずっと思ってたんです。そしたらここから逃げられるのに、って。でも同時に、人が死ぬことを願うことじたい、ものすごく罪悪感(ざいあくかん)があったし、そもそも自分がもっと早く逃げることだってできたん

じゃないか、って思って、そのくせ死ねばいいとか、なんかへんじゃないですか。だからずっと自分を責めてた。そんなときに陽江さんがまずそう言ってくれて、ありがたかった。

陽　だってうたちゃんは犯罪に巻き込まれて、七年間のあいだ男性にコントロールされて、自由を奪われたまま軟禁されていたんだよ。十六歳から二十三歳までの多感な七年間をね。それはあってはならないことだし、たいへんなことなんだよ。彼が生きてたら、私が彼に思いっきり説教してやりたいよ。もちろん死んでいい人や殺されていい人なんていないわけだけれどね。

う　その七年間をどう捉えていいのか、しばらくずっとわからなかったんです。彼に殴られたとかひどい暴力を受けたわけじゃないし、やっぱり自分が本気で逃げようと思えば逃げられたのに、そうしなかっただけなんじゃないかっていう思いがずっと消せなくて。私が悪かったんじゃないか、っていう自責の念みたいな……。

陽　それが彼のやり方、そういう犯罪の方法なんだよ。うたちゃんはずっと犯人をかばってきたの。

う　両親にも、働いてる会社の社長はすごくいい人なんだ、って自分から言ってました。心配かけたくないということはあったけれど、いま陽江さんに言われると、それだけの理由だったのかどうかわからない。彼は近所の交番のおまわりさんとも仲良くて、そのおまわりさんがたまにお店にも寄ることがあったんだけど、彼とニコニコ話してたりして、私の状況になんてまったく気がつかない。お願いだから私をここから逃がして！「警察官なのに、なぜ気がつかないの？」って心の中で思っていました。

陽　コントロールされてるほうは気がつかなくなるんだよね。

う　へんに頭がいい人だったと思う。商売上手だったし。でもやっぱり、ハウスで紹介されたフェミニストセラピーの先生にも、「うたちゃんは、家出をして、悪い男に捕まったんだね」と言われたんです。ああそういうことなんだ、とだんだんとわかってきたというか。

陽　少し前に、ちょっと似た事件も続いていたよね。

う　はい。未成年で家出して、SNSで知り合った男性に誘われて、しばらくその家に泊めてもらっていたとか、その男性があちこち連れ回していたとか、そういう事件と自分の七年間が、だんだん重なってもきたりして。

陽　未成年者誘拐だね。男女関係ないことだけど、子どもが家出してなにかの事件に巻き込まれたら、そもそも家出なんかしでかすその子が悪い、とかよく言われがちだけれど、それは関係ないよね。子どもが家出する理由や背景は軽く考えられるべきじゃないし、彼らが事件、犯罪に巻き込まれるというのはまた別の話。どちらもその子に責任をかぶせちゃダメなの。

気がつくと「自分」がない

う　ハウスにつながって、ようやくいろんなことが見えてきたんです。はじめて面接した当事者スタッフの人が「私も依存症だったんだよ」とまず言っ

てくれて安心したんだけれど、でもわたし、気がつくと自分がなかった。

陽　そうだったね。

う　いま思うと、ずっと自分をなくすようになくすように、ってしてきたからだと思う。ずっと男の人に支配されていて、男の人の言うとおりにしてきたし、小さいときには親の期待に添わなきゃいけない、って思って、自分を変えてきたから、自分がどうしたいのか、どう感じているのか、もうわからなくなっていたの。

陽　最初の頃は、着るものからなにから、「陽江さん、これでいいですか？」っていちいち私に聞いてきたよね。あのね、まずは自分で自由に考えて決めてみてね、ってうたちゃんによく言ってた。最初から丸投げしないでね、って。

う　へんなこと言ったり、間違った決め方とかしたら、誰かに怒られるんじゃないか、ってしばらくはビクビクして、みんなの顔色をうかがってました。でも自分で考えて決めてみないと、こんどはそれで陽江さんに怒られるの

がこわくて（笑）、少しずつ練習して。

陽　一度決めたことを変えてもいい制度があるよ、ってことも伝えたね。十日以内のクーリングオフ制度ね（笑）

う　それ、とってもありがたかった。あと、人格を三つくらいもっていい、っていう多重人格作戦も。

陽　ハウスに来る女性たちは、自分がバラバラになってる、って感じていることが多いからね。だからそれを無理にひとつにしようとするとものすごくしんどくなるの。たいへんなときは多重人格でいいの。だから仕事もひとつに絞らず、三つくらい持ってるとちょうどよかったりする。

う　わたしもハウスのスタッフとして週に一、二回働いてたときに、同時に子ども向けの体操教室でも働いていて、それがとてもよかったんです。あと子育てもあったし。
　ハウスのほうは、何時から何時までやればハイ終わり、というものじゃないし、長いスパンで考える仕事。体操教室は勤務時間もはっきり決まっ

てるし、日々、目に見えて子どもたちのからだの動きがよくなってくるのがわかる。ぜんぜん違うタイプの仕事だから、最初は少しその違いになじむのに時間がかかったけれど、しばらくするとそのうほうがかえってフィットするというか、むしろそれがかえってラクというか。この作戦が合う人にはおすすめしたいな。

陽　そうだね。だからハウスの当事者スタッフも、ここだけって専属にならないほうがいいの。なるべく複数の顔を持ったほうが、いごこちよかったりする。銭湯とかの番台もいいのかな。入れ墨の入った人っていうか、ヤクザもあんまりこないしねえ。あ、けど、いま番台なんかあんまりないか（笑）。

う　スーパー銭湯ですね（笑）。なるべくこれまでやったことのない仕事を探してみるのもいいのかな。

陽　そうだね。まあけど、仕事を複数にしてパニくってるメンバーもたまにいるけどね。それぞれの仕事用だったはずの人格がずれてきたり、混ざり込

んできちゃったりして収拾つかなくなってます！　がんばってはみたんですけど、だれがどの仕事用だったかわかんなくなって〜！　ってパニクってる（笑）。そんな無理矢理がんばらなくていいのに、すぐみんな、なにかとがんばっちゃうんだよね。

伝えたいこと

陽　そしたらそろそろ締めようか。うたちゃんが若い人にこれは、って伝えておきたいことはある？

う　えっ、難しいなあ……

陽　なんでもいいよ、自由に。

う　……気がついてほしい、ってことかなあ。

陽　まわりのひとが？

う　はい、なんだか少しようすがおかしいな、って子がいたら、気づいてほしい。なにかとても不自由そうな子がいたら、どうしたのかな、って。自分ではどうしても言い出せないこと、助けを求められないことってあるから。

陽 そうだね、気づいてくれるといいよね。

う うん。

陽 長い時間、どうもありがとう。あとふたつ、聞いていいかな。

うたちゃんはいま、なにが楽しい？　もうひとつ。たいへんだなあ、って感じることはある？

楽しいこと、たいへんなこと、終わったこと

う 楽しいこと、なんだろう？　たいへんなことばかり思いつくなあ。コロナにもかかってそれから体調がいまひとつだから気力がないんだよね。リフレッシュしようとは思うけど……。温泉(おんせん)はいいな。遠いところは行けないけど、都内にもあるし、少し電車に乗って多摩(たま)の方とか。スーパー銭湯も

気軽でいいな。

陽　ひとりで行くの？

う　ひとりのときもあるし、母とか妹とかとのんびりね。あとは、ミシンかな。行くところがないとハウスに来て、夏なら涼しいかっこうして、ひとりでミシンかけながら作業してる。音楽聴きながら。これが気持ちよくて。

陽　ハウスのB型*で作って販売するやつね。（*注「就労継続支援B型事業所」のこと。さまざまな事情で一般企業での就労が難しい場合、日数や時間などそれぞれの状況に合わせた働き方が可能で、行った作業に対して工賃を受け取ることができる）

う　そうそう、ブックカバーとかポーチとかね。どんな色の布をどんなふうに組み合わせようかなとか考えるのも楽しいし、できあがると嬉しい。

陽　これからやってみたいこととかある？

う　キャンプ！　キャンプやってみたい。テントの中で寝てみたい。

陽　いいね。少しずつセット揃えられたらいいね。

たいへんだなあ、って感じることは？

う　子育て……もちろん楽しくもあるんだけど。

陽　男子高校生と女子中学生だっけ。

う　うん。自分自身が子どものときに本当にしたかったこと、本当はしたくなかったこととか、親にしてほしかったこと、自分が親にできなかったこととか、いろいろ考えちゃって。でも結局、親にしてほしかったことを子どもにするようにしてるかな。それから自分は本当の気持ちが言えなかったから、なるべく話すようにしています。男子は楽かな。女子は少し難しい感じがする。なぜだろうか（笑）

陽　なぜだろうか（笑）。自分をつい投影しちゃうのかな。子どもたちはいろんなこと話すほう？

う　そうだね。でもだんだん大きくなるとそうもいかなくなるのかなあ。そんなことを思いながら子育てしてます。

陽　がんばってるよね。今日はたくさん話してくれてありがとうね。
　最後にもうひとつ聞いてもいい？

う　はい。

陽　うたちゃんはたいへんな事件に巻き込まれてしまって、長くその中にいたわけでしょう。そしていまハウスでミシンかけたり、悩みながら子育てしていて。

う　スーパー銭湯とか温泉にも行ったり（笑）

陽　うん、ぜんぶ大切なことだね。それで、事件については少し薄れてきた感じなのかな。

う　このことを話せるようになって、何度か聞いてもらって、自分の中では終わったことになった。やっと、過去のことになった。

陽　そっか、長かったよね。ハウスに来てくれて、無事に生きてきてくれて、ありがとうね。

増補新版のあとがき

みんながいま過ごしているダルク女性ハウスは、一九九一年に生まれた。だから今年で三十二歳になる。人間で言えば若気の至りで、テヘ、みたいな時期は過ぎているはずだ。じゃあ、あたしたちも少しは成長したんだろうか。

一九九〇年代、ダルク女性ハウスは野戦病院みたいだった（野戦病院ってなに？　って思ったら、辞書でもネットでも使って調べてみてね）。

当時は、マジで手首を切りまくる仲間にバンソウコウをはったりしてた。私だって手当てしてもらいたい毎日で、自分も、目の前にいる彼女らも、この後どうなるのか、行き場所なんてあるのか、お先真っ暗な気がしていた。ただ、激しい怒りをぶちかましたり、感情をやみくもにぶつけまくる仲間ほど、十数年後、なんとかはい上がるのを見てきたりした。

じゃあ今は？　といえば……じつはあたしたちの毎日は、当時とそれほど変わらないのかもしれない。

本を読んでもらったら少し理解してもらえるかもしれないけど、薬物・アルコール依存症の女性たちの多くは、精神的・身体的に暴力の被害を受けてきて、男性とはまた少し異なるかたちで、深く心に傷を負っている。そこから回復していくということは、ただ薬物やアルコールをやめるということじゃなくて、地域の中で安心して、ひとりきりで孤立せずに生活していけるようになることだ。日々のミーティングや内職的な作業も、そのためにある。

「仲間たちの話」に出てくる女性のうち、ひとりは三十五歳を越えて大学に行った。ゆっくり勉強できるみたい。十代のときのあたしたちはなにかと忙しくて学校は遠いけど、学校に行く年齢って、二回あるんだよね。もうひとりはダルクのスタッフとなって、研究会や講演に全国を飛び回っている。ふたりとも、自分で主体的に考えて動くことができるようになって、すごく成長したと思う。それまでには、とてもたくさんの時間がかかっているけれど、仲間たちがいたから、折れずに荒れずにやってこれたところはあると思う。

でも、あたしはみんなと一緒にいて、いつも思う。別に立派な人になんかならなくていいんだよ、そんなの目指さなくていいんだよ、って。一日の終わりに、安心してフトンにもぐり込むことができたら、それでいいじゃんって。あせらなくていいよ、ゆっくりやっていこうね、って、心の中でいつも願ってる。ダルクの三十年の中には、みんなとおんなじうようにたくさんの失敗もあったけれど、そのぶん、かけがえのない宝物もたくさんあるんだから。

上岡陽江

●ダルク（DARC）とは、ドラッグ（DRUG=薬物）のD、アディクション（ADDICTION=嗜癖、病的依存）のA、リハビリテーション（REHABILITATION=回復）のR、センター（CENTER=施設、建物）のCを組み合わせた名称で、覚せい剤、有機溶剤（シンナー等）、市販薬、その他の薬物から解放され、新しい生き方をみつけていくためのプログラムをもつ、民間の薬物依存症リハビリ施設です。

全国のダルクの一覧表は、こちらにあります。http://darc-ic.com

●「あたしたちの〈人権（仮）〉は、ついたり消えたりする」は、「ジェンダーと法 No.9」（日本加除出版、二〇一二年）所収の「女性薬物依存症者と生き延びるための『犯罪』を、「お母さんが『死にたい』と言ったら」は、『中高生のためのメンタル系サバイバルガイド』（「こころの科学」増刊、日本評論社、二〇一二年）所収の「親子がうつになった」をもとに、それぞれ大幅に改稿したものです。それ以外の文章は、増補部分も含め、すべて書き下ろし、語り下ろしです。

●これまでにさまざまなご協力やご助言をいただいた、大嶋栄子、尾田真吾、後藤弘子、信田さよ子、平川和子、三井富美代、宮地尚子さんたち。共同通信社の多比良孝司、日本加除出版の渡邊宏美、医学書院の白石正明、石川誠子さんたち。そして、イラストレーターの及川賢治さん、デザイナーの祖父江慎さんと根本匠さん、柴田慧さん、編集者の清水檀さん、打ち合わせはいつも楽しくて、今回もこんなにかわいい本にしてもらえて、とっても嬉しいです。新しい帯文をいただいた國分功一郎さん、感激してます。旧版の帯文をくださった西原理恵子さんも。そして、須賀一郎、小宮敬子、宮本真巳さんたち、理事のみなさん。ダルク女性ハウスの仲間たちみんな。

すべてのお名前は挙げられないけれど、あたしたちを支えてくださっているたくさんのひとたち。本当にいつもありがとう。これからも、どうぞよろしくお願いいたします。

上岡陽江

ハウスの副所長で
みんなの名カウンセラーだったすず。
ありがとう。

谷川俊太郎さんからの四つの質問への上岡陽江さんのこたえ

●＝クスリやアルコールをやっていたときのあたし
○＝クスリやアルコールをやめてからのあたし

「何がいちばん大切ですか？」
●お酒とクスリ
○仲間と家族

「誰がいちばん好きですか？」
●お金やクスリをくれるひと
○オット

「何がいちばんいやですか？」
●自分
○暴力

「死んだらどこへ行きますか？」
●地獄
○静かなところ

上岡 陽江（かみおか・はるえ）1957年生まれ。ダルク女性ハウス代表。精神保健福祉士。子どもの頃から重度のぜんそくがあり、小学校6年から中学3年まで入院生活を送る中で処方薬依存と摂食障害に。19歳以降、アルコール依存症を併発。その後、26歳のとき、回復プログラムをもつ施設「マック」につながる。1991年、友人とともに、薬物・アルコール依存をもつ女性をサポートする「ダルク女性ハウス」を設立、いまに至る。また、当事者への支援に加え、援助職への研修やスーパーバイジングなども務める。2016年4月、国際麻薬特別総会（UNGASS）に政府代表団顧問として参加。2018年より東京大学・熊谷晋一郎研究室における当事者研究事業に協力研究員として参加。共著書に、『Don't you? 〜私もだよ〜からだのことを話してみました』（ダルク女性ハウス）『その後の不自由——「嵐」のあとを生きる人たち』（大嶋栄子と、医学書院「ケアをひらく」）『被害と加害をとらえなおす——虐待について語るということ』（信田さよ子、シャナ・キャンベルと、春秋社）『ハームリダクションとは何か——薬物問題に対する、あるひとつの社会的選択』（松本俊彦、古藤吾郎らと、中外医学社）『ひとりでがんばってしまうあなたのための子育ての本——「ダルク女性ハウス」から学ぶこと・気づくこと』（熊谷晋一郎らと、ジャパンマニシスト社）などがある。

増補新版 生きのびるための犯罪

2024年1月20日　初版第1刷発行

著　者　上岡 陽江＋ダルク女性ハウス

発行者　塩浦 暲

発行所　株式会社　新曜社

101-0051　東京都千代田区神田神保町3-9

Tel: 03-3264-4973　Fax: 03-3239-2958

e-mail: info@shin-yo-sha.co.jp

URL: https://www.shin-yo-sha.co.jp/

装画・挿画　100% ORANGE／及川賢治

挿画　五十公野 理恵子

ブックデザイン　祖父江 慎＋根本 匠（cozfish）

印刷・製本　中央精版印刷株式会社

Printed in Japan ISBN 978-4-7885-1834-6 C0095